Mami Takada przyjechała z Japonii, chce studiować malarstwo na Akademii Sztuk Pięknych w Krakowie.

Mami Takada comes from Japan and wants to study painting at the Academy of Fine Arts in Cracow.

Angela Brown jest Angielką, a chce mówić po polsku, ponieważ jej rodzina pochodzi z Polski.

Angela Brown is English but wants to speak Polish since her family come from Poland.

Uwe Stein to niemiecki biznesmen, potrzebuje polskiego ze względów zawodowych.

Uwe Stein is a German businessman who needs Polish for professional reasons.

Javier Pérez jest z Argentyny. Polski to dla niego po części hobby, a po części szukanie nowego pomysłu na życie.

Javier Pérez comes from Argentina. For him, Polish is both a hobby and a way of finding a new idea for life.

Tom Peterson jest z USA. Uczy się polskiego, bo pisze doktorat o upadku komunizmu. Jego dziewczyna jest Polką.

Tom Peterson comes from the USA. He is learning Polish while working on a doctoral thesis on the fall of communism. His girlfriend is Polish.

SERIA PODRĘCZNIKÓW DO NAUKI JĘZYKA POLSKIEGO DLA OBCOKRAJOWCÓW

A SERIES OF POLISH LANGUAGE TEXTBOOKS FOR FOREIGNERS

krok po kroku
Polski

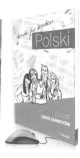

POZIOM 1 *LEVEL 1*

„POLSKI krok po kroku" 1
„Zeszyt ćwiczeń" 1
„Gry i zabawy językowe" 1
„Podręcznik nauczyciela" 1

„Tablice gramatyczne"

POZIOM 2 *LEVEL 2*

„POLSKI krok po kroku" 2
„Zeszyt ćwiczeń" 2
„Gry i zabawy językowe" 2
„Podręcznik nauczyciela" 2

e-polish.eu   **polski**krokpokroku.pl

Anna **Stelmach**

CZYTAJ
krok po kroku

C2
C1
B2
B1
A2
A1

proste historie

4

Szkoła Języka Polskiego
Glossa

jak korzystać
how to use

 TEKSTY
TEXTS

10 tekstów podzielonych na 5 modułów
10 texts divided into 5 modules

 ĆWICZENIA
EXERCISES

Ćwiczenia leksykalno-gramatyczne do każdego tekstu
Lexical and grammatical exercises accompanying each text

 SŁOWNICZEK
GLOSSARY

Słowniczek polsko-angielski do każdego modułu
Polish-English glossary for each module

 SŁOWNIK A-Ż
A-Ż GLOSSARY

Alfabetyczny słownik polsko-angielski
Alphabetical Polish-English glossary

 NAGRANIA
RECORDINGS ↓

Nagrania tekstów do pobrania na e-polish.eu/czytaj
Recorded texts to be downloaded from e-polish.eu/czytaj

KOD
CODE A54F-981C-GRSB

Skorzystaj z wersji multimedialnej słownika poszerzonej o tabele odmian:
Use the multimedia version of the glossary, extended with inflection tables:

online-polish-dictionary●com

Tłumaczenia trudniejszych słów i zwrotów na marginesie
Translations of more advanced words and phrases in the margin

użyć *use*
sprawdzić *check*
pokazywać *show*
upał *heat*
co się stanie *what will happen/does it matter*
opalać się *sunbathe*
skóra *skin*
radość *joy*

– Jest mi gorąco. Świeci słońce, a ja nie mam okularów przeciwsłonecznych! I nie **użyłam** kremu z filtrem – będę brązowa! Rano jak zwykle **sprawdziłam** prognozę pogody – mój telefon **pokazywał**, że będzie pochmurno. I co? Słońce! Tropikalny **upał**! W maju!
– A **co się stanie**, jeżeli będziesz trochę brązowa?
– Tom, ja jestem w Japonii, a nie z Kalifornii. W Japonii nie **opalamy się**, bo to jest niemodne i źle dla **skóry**.
– Ale słońce to energia i **radość** życia! – protestuje Tom.

Urozmaicona forma ćwiczeń
Varied form of exercises

ćwiczenia
exercises 10

 1 **Prawda (P) czy nieprawda (N)? Dlaczego?**
True (P) or false (N)? Why?

		P	N
1.	Joanna pojechała nad morze, a jej rodzina w góry.	✓	
2.	Joanna jechała pociągiem i autobusem.		

Klucz odpowiedzi: s. 77
Answer key: p. 77

Tematyczne zestawienie słownictwa według części mowy, dodatkowo pogrupowane w logiczne bloki
Thematic summary of vocabulary presented by part of speech and additionally grouped into logical blocks

słowniczek
glossary 9 10

polski	English	your notes
granica	*border*	
południe	*south*	
północ	*north*	

rzeczownik *noun*

W rubryce *your notes* **miejsce na przykłady i notatki**
Space for your own examples and notes in your notes column

Słownik zawiera wszystkie ważne słówka z rozdziałów 16-20 podręcznika „POLSKI krok po kroku" 1
The glossary contains all important words from chapters 16-20 of the textbook 'POLSKI krok po kroku' 1

	1 **Burza**	• plany na przyszłość	• pogoda	• przysłówek	8
	ćwiczenia *exercises*		• pory roku	• czas przeszły złożony	10
16	2 **Jasnowidz**		• miesiące		12
	ćwiczenia *exercises*		• andrzejki		14
	słowniczek *glossary*				16
	3 **Prezent**	• Podoba ci się?	• samopoczucie	• podobać się i lubić	18
	ćwiczenia *exercises*	• wyrażanie uczuć i opinii pozytywnych/ negatywnych		• deklinacja zaimków osobowych	20
17	4 **Plotka**				22
	ćwiczenia *exercises*				24
	słowniczek *glossary*				26

 CZYTAJ

spis treści
contents

			KOMUNIKACJA	SŁOWNICTWO	GRAMATYKA	
	1	**Burza**	• plany na przyszłość	• pogoda	• przysłówek	8
		ćwiczenia *exercises*		• pory roku	• czas przyszły złożony	10
16	2	**Jasnowidz**		• miesiące		12
		ćwiczenia *exercises*		• andrzejki		14
		słowniczek *glossary*				16
	3	**Prezent**	• *Podoba ci się?*	• samopoczucie	• *podobać się* i *lubić*	18
		ćwiczenia *exercises*	• wyrażanie uczuć i opinii		• deklinacja	20
17	4	**Plotka**	pozytywnych/ negatywnych		zaimków osobowych	22
		ćwiczenia *exercises*				24
		słowniczek *glossary*				26
	5	**Wypadek**	• *Gdzie to jest?*	• mieszkanie: pomieszczenia	• miejscownik l.poj. i l.mn.	28
		ćwiczenia *exercises*	• opis mieszkania	i sprzęty;	• przyimki: *na, w,*	30
18	6	**Marzenie**		lokalizacja przedmiotów	*przy, o, po*	32
		ćwiczenia *exercises*				34
		słowniczek *glossary*				36
	7	**Korek**	• szukanie i wynajmowanie	• lokalizacja przedmiotów	• przyimki statyczne	38
		ćwiczenia *exercises*	mieszkania			40
19	8	**Pantera**				42
		ćwiczenia *exercises*				44
		słowniczek *glossary*				46
	9	**Wieża**	• podróżowanie	• kierunki geograficzne	• przyimki statyczne	48
		ćwiczenia *exercises*	• dworzec PKP	• atrakcje	i dynamiczne	50
20	10	**Las**		turystyczne w Polsce		52
		ćwiczenia *exercises*				54
		słowniczek *glossary*				56
		słownik A-Ż *A-Ż glossary*				58
		klucz odpowiedzi *answer key*				77

DLA NAUCZYCIELI

Seria „CZYTAJ krok po kroku" powstała z myślą o tych, dla których lektura to nie tylko odkrywanie nowych rzeczy, ale też przyjemność i niezbędny element codzienności.

Czytanie w języku obcym od samego początku nauki ma wspaniały wpływ na motywację. Nic nie daje takiej satysfakcji jak moment, w którym można wreszcie powiedzieć „rozumiem!". Uczący się języka polskiego często szukają na własną rękę – korzystają z zasobów internetu albo próbują czytać książki dla dzieci. Tymczasem trafiają na tak wiele trudnych słów i struktur gramatycznych, że szybko się zniechęcają i frustrują.

„CZYTAJ krok po kroku" zostało pomyślane jako zbiór materiałów uzupełniających zarówno do pracy samodzielnej, jak i do wykorzystania na zajęciach grupowych. Można je traktować jako powtórzenie czy też utrwalenie materiału, jako zadanie domowe bądź inspirację do gier, dyskusji, scenek itp. Zawartość leksykalna i gramatyczna pierwszych pięciu tomików serii „CZYTAJ krok po kroku" pokrywa się niemal z każdym podręcznikiem do nauki języka polskiego dla początkujących na poziomie A1, jednak najściślej jest powiązana z materiałami serii „POLSKI krok po kroku".

- **Każdy tomik zawiera 5 modułów po 2 teksty**, po których następują ćwiczenia leksykalno-gramatyczne sprawdzające umiejętność czytania ze zrozumieniem (klucz odpowiedzi na końcu książki).

- **Zawartość leksykalno-gramatyczna jednego modułu odpowiada jednemu rozdziałowi podręcznika „POLSKI krok po kroku 1"**, a porządek numeryczny jest zgodny z podręcznikiem (patrz: spis treści, s. 5). Tom ten obejmuje lekcje 16-20.

- Proste, pełne humoru historie uzupełniają wiedzę o znanych już i lubianych bohaterach serii, a także wprowadzają nowe, barwne postacie.

- **Tłumaczenia trudniejszych słów i zwrotów znajdują się na marginesie, a każdy moduł zakończony jest słowniczkiem tematycznym** zawierającym leksykę do opanowania na tym etapie nauki; dodatkowo na końcu umieszczono słownik polsko-angielski zbierający materiał leksykalny z całego tomiku w porządku alfabetycznym.

- Słowniczki tematyczne zamykające poszczególne moduły są skonstruowane tak, aby maksymalnie ułatwić zapamiętanie nowo poznanego słownictwa, a dodatkowa kolumna na notatki pozwala na sprawdzenie, czy student dobrze zrozumiał słowo i umie poprawnie użyć go w kontekście.

- Teksty można czytać w dowolnej kolejności – każdy jest zamkniętą całością, jednak zaleca się czytanie ich krok po kroku ;-)

- **Pliki z nagraniami (do pobrania na e-polish.eu/czytaj)** pozwalają dodatkowo na ćwiczenie wymowy, intonacji oraz doskonalenie sprawności rozumienia ze słuchu.

Dalsze losy bohaterów można będzie śledzić w kolejnych tomach wchodzących stopniowo na coraz wyższy poziom, wymagający od czytelnika znajomości bardziej zaawansowanych struktur gramatycznych i bogatszego słownictwa.

Mamy nadzieję, że nasza nowa seria spodoba się Państwu i okaże się przydatna na zajęciach.

Autorka i Wydawca

FOR STUDENTS

Are you starting to learn Polish? Do you like reading, but don't know what book to go for? Discover the stories from the everyday life of the popular characters introduced in the series 'POLSKI krok po kroku' – Mami, Javier, Angela, Tom and Uwe – as well as the Maj and Nowak families. See how their relationships intertwine. Accompany them to learn the Polish language, discover Poland, explore the similarities and differences between the cultures of different countries, and simply have fun!

- **In each book, you will find 5 modules with 2 stories** as well as exercises consolidating the grammatical and lexical material from a given text (answer key included at the end of the book).

- No matter what textbook you use on a daily basis – the table of contents will tell you what grammatical and lexical material you can consolidate by reading a given module. If you learn using books from the series 'POLSKI krok po kroku', it is worth knowing that each module corresponds to one lesson from Textbook 1. This volume corresponds to lessons 16-20.

- **Texts are written in a very simple, but naturally-sounding language.** You can read them in any order – each one contains a full story. However, we recommend reading them 'krok po kroku – step by step ;-)

- **You will find translations of more advanced words and phrases in the margin**, and so your reading will not be disrupted.

- **After each module you will find a glossary containing the lexical material you should master at this level.** It will facilitate learning and revision of vocabulary. You will also find some space for your notes (ask your teacher to assess your ability to use the newly acquired vocabulary correctly in context).

- **You can also use the Polish-English glossary at the end of the book**, where the lexical material from the whole book has been collected in alphabetical order.

- By listening to the recordings, you can improve your listening skills or practise pronunciation and intonation on your own.

If you like these simple stories, follow the ups and downs of their characters in subsequent volumes and move on to higher levels together with them!

NAGRANIA
RECORDINGS

Pobierz nagrania na:
e-polish.eu/czytaj

e-polish **eu**

KOD
CODE A54F-981C-GRSB

Burza

stać *stand*

użyć *use*

sprawdzić *check*

pokazywać *show*

upał *heat*

co się stanie *what will happen/does it matter*

opalać się *sunbathe*

skóra *skin*

radość *joy*

(globalne) ocieplenie *(global) warming*

zmieniać się *change*

dopiero *not before*

kwitnąć *blossom*

drzewo wiśniowe *cherry tree*

od razu *immediately*

przyszłość *future*

dziwny *strange*

granatowy *dark blue*

grzmot *rumbling*

piorun *thunder*

błyskawica *lightning*

niepokój *anxiety*

z dużej chmury mały deszcz *a lot of fuss about nothing*

tęcza *rainbow*

coraz bardziej *more and more*

chodźmy *let's go*

– Jak długo będziemy tu **stać**? – pyta zdenerwowana Mami. – Kiedy będzie ten autobus?

– Za pięć minut – odpowiada spokojnie Tom. – Dlaczego się tak denerwujesz?

– Jest mi gorąco. Świeci słońce, a ja nie mam okularów przeciwsłonecznych! I nie **użyłam** kremu z filtrem – będę brązowa! Rano jak zwykle **sprawdziłam** prognozę pogody – mój telefon **pokazywał**, że będzie pochmurno. I co? Słońce! Tropikalny **upał**! W maju!

– A **co się stanie**, jeżeli będziesz trochę brązowa?

– Tom, ja jestem z Japonii, a nie z Kalifornii. W Japonii nie **opalamy się**, bo to jest niemodne i złe dla **skóry**.

– Ale słońce to energia i **radość** życia! – protestuje Tom.

– Tak b y ł o. Ale teraz mamy globalne **ocieplenie**, klimat **się zmienia**… Pamiętasz? W święta Bożego Narodzenia było deszczowo, a w Wielkanoc padał śnieg i był mróz. Teraz jest bardzo ciepło, a w przyszłym tygodniu w nocy będzie temperatura poniżej zera. Generalnie wszystko jest nie tak – w Japonii **dopiero** teraz **kwitną drzewa wiśniowe**, bo zima była bardzo długa i mroźna, a w Polsce nie ma już wiosny, tylko **od razu** lato. Co będzie w **przyszłości**?

– Masz rację, ta pogoda jest **dziwna**. Przed momentem było niebieskie niebo bez jednej chmury, a teraz jest **granatowe**, prawie czarne! I robi się chłodno… Słyszysz **grzmot**? Będzie burza z **piorunami**. O, pierwsza **błyskawica**! – Tom z zainteresowaniem obserwuje spektakl na niebie.

– Ojej, ja strasznie boję się burzy! Już wieje zimny wiatr! O nie, pada deszcz! – Mami z **niepokojem** ogląda niebo. – Prognoza pogody mówiła, że będzie zachmurzenie, a nie deszcz! Nie mam parasola ani ciepłej **kurtki**!

– Mami, nie jesteś z cukru. Poza tym **z dużej chmury mały deszcz** – nie będzie tak źle. Zobacz, jaka piękna **tęcza**!

– Tom, pada **coraz bardziej**. Mam mokre włosy!

– A deszcz nie jest zdrowy dla włosów?

– Tom!!! Proszę cię, **chodźmy** pod to drzewo! Tam jest sucho!

– Nie, moja droga, stać pod drzewem w czasie burzy to zły pomysł. Mam **przy sobie** kurtkę **przeciwdeszczową**, mogę ci dać. O, jedzie nasz autobus! Mówiłem, że będzie za pięć minut i proszę – jest punktualnie.

W autobusie Mami i Tom stoją przy oknie i widzą, że **uciekli** przed **ulewą** z gradem w ostatnim momencie.

– **Ale leje**! Mieliśmy **szczęście**! – cieszy się Mami.

Dzwoni komórka Toma. Tom pokazuje Mami, że to Javier i **odbiera połączenie**.

– Javier, cześć! Teraz jesteśmy w autobusie, będziemy **wysiadać** za kwadrans. Aha, nie będziesz miał czasu, żeby rozmawiać? A co będziesz robić? **Po co** jedziesz do Magdy z szamponem??? Aaa, z s z a m p a n e m. I co będziecie świętować? Ach tak, gratulacje! Na kiedy ma **termin**? Na jesień? A będziesz jutro w szkole? Aha, dopiero pojutrze. To na razie. **Pozdrowienia** dla Magdy! – Tom kończy rozmowę.

Mami **czuje**, że ma burzę w **sercu**.

– Znasz tę Magdę? Jaka ona jest? – pyta **cicho**.

– Pamiętam ją **jak przez mgłę**, ale na pewno jest bardzo ładna. No wiesz, typ **gwiazdy** filmowej: wysoka, szczupła, niebieskie oczy, **burza** blond **włosów**. A co?

– Czy Javier będzie ojcem? Ona jest **w ciąży**, tak?

– **Ależ nie**! – protestuje **zdziwiony** Tom. – Magda **właśnie** skończyła pisać doktorat z klimatologii. Za kilka miesięcy – w październiku – będzie miała **obronę**. A ty dlaczego jesteś taka czerwona? Gorąco ci?

– Ciśnienie – mówi Mami pod nosem. – Właśnie czuję, jak **rośnie**. ›

przy sobie	*with me*
przeciwdeszczowy	*rainproof*
uciec	*escape (v.)*
ulewa	*downpour*
Ale leje!	*Oh, it's pouring down!*
szczęście	*luck*
odbierać	*answer*
połączenie	*call (n.)*
wysiadać	*get off*
po co	*what for*
termin	*date, due date*
pozdrowienia	*say hello*
czuć	*feel*
serce	*heart*
cicho	*quietly*
jak przez mgłę	*vaguely*
gwiazda	*star*
burza włosów	*shock of hair*
w ciąży	*pregnant*
Ależ nie!	*No no!*
zdziwiony	*surprised*
właśnie	*just*
obrona	*(thesis) defence*
rosnąć	*go up/increase*

ćwiczenia
exercises

1

Co pasuje? Proszę wybrać odpowiedź zgodnie z tekstem?
Underline the correct answer on the basis of the text.

1. Mami i Tom stoją <u>na przystanku</u> | pod drzewem.
2. Oni czekają na autobus | na Javiera.
3. Prognoza pogody mówiła, że to będzie szary | słoneczny dzień.
4. Mami bardzo lubi | nie lubi się opalać.
5. Tom boi się | nie boi się burzy.
6. On pokazuje Mami tęczę | gwiazdy.
7. Javier dzwoni | pisze SMS do Toma.
8. Tom mniej więcej | świetnie pamięta, jak wygląda Magda.
9. Mami myśli, że Javier i Magda będą mieli dom | dziecko.
10. Magda skończyła | będzie pisać doktorat.

2

Proszę uzupełnić (być – czas przyszły).
Fill in the gaps („to be" – future tense).

1. Jak długo *będziemy* (my) tu stać?
2. Nie mam kremu z filtrem, ... (ja) brązowa!
3. Autobus .... za pięć minut.
4. Niebo robi się granatowe – .... burza?
5. A co .... (ty) robić?
6. Co .... (wy) świętować?
7. Javier i Magda .... pić szampana.
8. Jaka .... nasza przyszłość?

3

Co jest dobre na taką pogodę?
Which item is appropriate for the weather?

1. kurtka przeciwdeszczowa
2. parasol
3. ciepła kurtka
4. krem z filtrem
5. kawa

a na słońce, na deszcz
b na słońce
c na niskie ciśnienie
d na zimny wiatr, na mróz
e na deszcz

4 *Proszę dopasować komentarze.*
Match the comments.

> **a** Jest mi strasznie zimno! | **b** Leje i leje! ✓ | **c** Może dlatego chce mi się spać? | **d** Nic nie widać! | **e** Jedziemy na narty? | **f** Strasznie mi gorąco! | **g** Nie czytaj bez okularów przeciwsłonecznych! | **h** Boję się! | **i** Ale nie jesteśmy z cukru! | **j** Trochę mi chłodno.

1. Od kilku dni są intensywne opady deszczu. *Leje i leje!*
2. Jest tropikalny upał – temperatura powyżej 40 stopni!

3. Słońce świeci prosto w oczy.

4. Całą noc padał śnieg.
5. Pada deszcz, a my nie mamy parasola.
6. Słyszysz grzmot? Będzie burza z piorunami.
7. Od rana mgła jak mleko.
8. Mamy arktyczny mróz.
9. Ciśnienie jest niskie i cały czas spada.
10. Wieje zimny wiatr.

5 *Co pasuje?*
What does this mean?

1. ulewa – mały | <u>duży</u> deszcz
2. z niepokojem – spokojnie | nerwowo
3. co się stanie – co będzie w przeszłości | przyszłości
4. granatowy – jasnoniebieski | ciemnoniebieski
5. tropikalny upał – ciepło | bardzo gorąco
6. z dużej chmury mały deszcz – nic wielkiego | coś wielkiego
7. pamiętać jak przez mgłę – pamiętać dobrze | słabo
8. gwiazda filmowa – znana i popularna | nieznana **aktorka**

2

Jasnowidz

jasnowidz *fortune teller*

siwy *gray*

szata *robe*

księżyc *moon*

zdziwić się *be surprised*

przecież *after all*

kulturalny *polite,*
  well-mannered

zaraz *in a moment*

wdzięczny *grateful*

dotykać *touch*

wszędzie *everywhere*

świeca *candle*

dieta *diet*

urodzić się pod
  szczęśliwą gwiazdą
  be born under a lucky
  star

przyszłość *future*

żyć *live*

ogólny *general*

tyle *that much*

– Dzień dobry, nazywam się Angela...

– Brown, wiem – przerwał **jasnowidz**. – Zapraszam do środka.

Angela nie myślała, że jasnowidz będzie wyglądać jak czarodziej Merlin: miał długie **siwe** włosy i granatową **szatę** w gwiazdy, **księżyce** i słońca.

– Kawa czy herbata? – zapytał.

– To pan nie wie? – **zdziwiła się** Angela. – **Przecież** jest pan jasnowidzem!

– Oczywiście, że wiem. Chciałem być **kulturalny**.

– Aha. To proszę herbatę z...

– Mlekiem, wiem. **Zaraz** wracam. Będę **wdzięczny**, jeżeli pani nie będzie niczego **dotykać**.

Angela z zainteresowaniem oglądała pokój. Był duży, ale ciemny. Grała cicha muzyka, chyba „Preludium deszczowe" Chopina. **Wszędzie** stały **świece**. Na sofie spał czarny kot.

Jasnowidz wrócił z herbatą.

– Nie będę proponował niczego słodkiego, bo wiem, że pani jest na **diecie**. Słucham panią?

– Chciałabym wiedzieć, czy **urodziłam się pod szczęśliwą gwiazdą**. I jaka będzie moja **przyszłość**.

– Rozumiem. Wie pani, każda osoba, która tu przychodzi, mówi to samo. A co konkretnego chciałaby pani wiedzieć?

– No nie wiem, na przykład, ile lat będę **żyła**.

– Sto.

– Sto lat???

– Nie, sto złotych. Każda konkretna informacja będzie kosztowała sto złotych.

– Aha. Tylko że ja jestem nauczycielką, nie jestem bogata...

– Wiem. Dlatego proponuję informacje **ogólne** za pół ceny. Mam specjalny pakiet – 12 za 500.

– Co to znaczy?

– To znaczy, że będę mógł powiedzieć pani o g ó l n i e, co będzie pani robiła przez następne 12 miesięcy.

– To będę musiała iść do bankomatu, bo nie mam **tylu** pieniędzy przy sobie. A może pan ma w ofercie pakiet 6 za

CZYTAJ

200, **czyli** o g ó l n e informacje, co będę robiła przez następ-ne pół roku? Dwieście złotych **chyba** będę miała.

– Może być. Teraz jest październik. W przyszłym miesią-cu będzie pani... Moment, teraz będę się koncentrował... Coś widzę... No więc w listopadzie będzie pani często chodziła do lekarza. Ale **za to** w grudniu będzie pani coś świętowała, kilka razy. Będzie **zabawa**, **będzie się działo**! Widzę to **wyraźnie**!

– Będę **sama**?

– Będzie dużo ludzi. Na pewno nie będzie pani sama!

– Ale czy będę miała chłopaka?

– Nie będę dwa razy powtarzał – konkretna informacja będzie kosztowała **dodatkowe** sto złotych.

– Dobrze, będę pamiętała. A potem? W styczniu?

– Widzę... Coś białego, dużo białego... Tak, biały to będzie dla pani ważny kolor w styczniu. W lutym... To będzie krótki miesiąc, nie będzie pani miała czasu na nic.

– I w lutym, kiedy są walentynki, też nie będę miała chło-paka?! A tak, już pamiętam – sto złotych. A w marcu?

– W marcu będzie pani **dostawała** kwiaty!

– Mam urodziny...

– Wiem. A w kwietniu widzę coś zielonego... Zielony to kolor **nadziei** i...

– Dolarów?

– Tak! Będzie pani miała dużo pieniędzy.

– Świetnie, **mam zamiar** pójść **w końcu** do kasyna. Czy wie pan, jaki jest mój szczęśliwy numer?

– Proszę pani, też chciałbym znać swój szczęśliwy numer. Mógłbym **wtedy** nie pracować! Teraz pracuję jako jasnowidz, egzorcysta, psycholog, bioenergoterapeuta, konsultant, de-tektyw, **radiesteta** i mam tego **powyżej uszu**! No, koniec seansu! Pani nie ma parasola, a zaraz będzie padało. Widzę wodę!

– Ja też widzę wodę, dużo wody – powiedziała **powoli** Angela.

– Bo **lanie wody** to pana prawdziwa praca! ▸

czyli *that is*

chyba *perhaps, probably*

za to *on the other hand*
zabawa *fun*
będzie się działo *a lot'll be going on*
wyraźnie *clearly*
sam *alone*
dodatkowy *extra*

dostawać *get*

nadzieja *hope*

mieć zamiar *be going to, intend to*
w końcu *finally, at last*

wtedy *then*
radiesteta *water diviner*
(mam) powyżej uszu *I've had it up to here*
powoli *slowly*
lanie wody *waffling on*

ćwiczenia
exercises

1

Co pasuje? Proszę wybrać odpowiedź zgodnie z tekstem.
Underline the correct answer on the basis of the text.

1. Jasnowidz wyglądał jak <u>czarodziej Merlin</u> | kompozytor Chopin.
2. Angela zwykle pije herbatę z cytryną | z mlekiem.
3. W pokoju na sofie spał biały pies | czarny kot.
4. Angela chciałaby zapytać o swoją przeszłość | przyszłość.
5. Jedna konkretna informacja kosztuje sto | dwieście złotych.
6. Angela pracuje w szkole | w banku.
7. Jasnowidz mówi, co ona będzie robić przez następne 6 | 12 miesięcy.

2

Proszę przekształcić wyróżnione bezokoliczniki według wzoru.
Change the highlighted infinitive forms as in the example.

1. Zaraz będzie padać → *padało* .
2. Ona chce wiedzieć, ile lat będzie żyć → ....
3. Ta informacja będzie kosztować → .... 100 zł.
4. Co będzie pani robić → .... przez następne pół roku?
5. Jasnowidz zaraz będzie się koncentrować → ....
6. Będzie pani często chodzić → .... do lekarza.
7. Angela i jej znajomi będą coś świętować → ....
8. W marcu kobiety będą dostawać → .... kwiaty.

3

Proszę uzupełnić.
Fill in the gaps.

1. Jasnowidz będzie *mógł* (móc) coś powiedzieć, ale ogólnie.
2. Angela będzie .... (musieć) iść do bankomatu.
3. Ona będzie .... (móc) zapłacić tylko 200 zł.
4. Oni będą .... (chcieć) świętować Nowy Rok razem.
5. Ona będzie .... (musieć) spędzić walentynki sama.
6. Angela i jej koleżanki z Londynu będą .... (chcieć) iść do kasyna.
7. Karol i Karolina nie będą .... (móc) iść do tego kasyna, bo nie mają 21 lat.

CZYTAJ

4

Co według jasnowidza Angela będzie robić przez następne pół roku?
According to the fortune teller, what will Angela do in the next six months?

a świętować i bawić się
ze znajomymi

1. w listopadzie ——— **BĘDZIE**

b mieć mało czasu,
bo to krótki miesiąc

2. w grudniu

c dostawać kwiaty z okazji
urodzin i Dnia Kobiet

3. w styczniu

4. w lutym

d chorować

5. w marcu

e mieć dużo pieniędzy
i pójdzie do kasyna

6. w kwietniu

f jeździć na nartach albo
na snowboardzie

5

Co pasuje?
Match the phrases.

W POLSCE...

zaczyna się rok akademicki
na uniwersytecie

1. w maju

1 będzie dużo wolnych dni, bo jest
„długi weekend"

2. w czerwcu

kończą się wakacje, spada dużo
gwiazd

3. w lipcu

dzieci zaczynają szkołę

4. w sierpniu

zaczynają się kursy wakacyjne
w szkole językowej

5. we wrześniu

6. w październiku

zaczyna się astronomiczne lato

słowniczek
glossary

polski	English	your notes

rzeczownik *noun*

pora roku	*season/time of the year*	....
wiosna	*spring*	....
lato	*summer*	....
jesień	*autumn*	....
zima	*winter*	....
okulary **przeciwsłoneczne**	*sunglasses*	....
parasol	*umbrella*	....
pogoda	*weather*	....
prognoza	*forecast*	....
burza	*storm*	....
chmura	*cloud*	....
ciśnienie	*pressure*	....
deszcz	*rain*	....
grad	*hail*	....
mgła	*fog*	....
mróz	*frost*	....
niebo	*sky*	....
słońce	*sun*	....
stopień	*step, degree*	....
śnieg	*snow*	....
wiatr	*wind*	....
zachmurzenie	*cloud cover*	....
miesiąc	*month*	....
święta	*holidays*	....
Boże Narodzenie	*Christmas*	....

Wielkanoc	*Easter*	....

ciepło ≠ chłodno	*warmly, pleasantly* *≠ cool*	....
ciemno ≠ jasno	*dark ≠ light*	....
mokro ≠ sucho	*wet ≠ dry*	....
deszczowo	*rainy*	....
mroźnie/mroźno	*frosty*	....
pochmurno	*cloudy*	....
słonecznie	*sunny*	....
poniżej	*below*	....
powyżej	*above*	....
pojutrze	*the day after tomorrow*	....
przyszły	*future, next (to be)*	....
za	*behind*	....

kończyć się	*stop, be over*	....
padać	*rain*	....
świecić	*shine*	....
świętować	*celebrate*	....
wiać	*blow*	....
zaczynać (się)	*start, begin*	....

3 Prezent

racja *be right*
stać w korku *be stuck in a traffic jam*
marnować *be wasting*
Zobacz! *Look!*
wyciągać *take out*

kształt *shape*
drogi *dear*
odbywać się *be held*

do białego rana *to the early hours*

nuta *musical notes*
narysować *draw*
smok *dragon*

Czy ja wiem? *I'm not sure*
śmiać się *laugh*
wkładać *put into*
jakoś *anyhow, somehow*
początkujący *beginner*
wyjątkowy *sth special*
dokładnie *exactly*
znowu *again*
stawać *stop*
Popatrz! *Look!*
nagle *suddenly*
obwarzanek *traditional ring-shaped bread*
uśmiechać się *smile*

wina *fault*

– Miałam **rację**! – mówi Angela do Mami. – Lepiej było jechać tramwajem, ale ty wolałaś autobusem i proszę – **stoimy w korku**. Irytuje mnie to czekanie! **Marnujemy** czas!

– A możemy porozmawiać o urodzinach Javiera? Poprosił mnie o projekt zaproszenia na imprezę. **Zobacz**!

Mami **wyciąga** z torby swój telefon. Szuka w galerii zdjęć, a potem pokazuje Angeli, co zaprojektowała – zaproszenie w **kształcie** gitary akustycznej.

Angela głośno czyta tekst na zaproszeniu: *Moi* **drodzy**! *Zapraszam Was na imprezę urodzinową, która* **odbędzie się** *w walentynki w klubie „Tango" przy Małym Rynku. Zabawa* **do białego rana** *gwarantowana!*

– Jak ci się podoba? – pyta Mami.

– Bardzo mi się podoba! Świetny pomysł, że litery wyglądają trochę jak **nuty**. Chciałabym mieć taki talent jak ty! Ale dlaczego na tym zaproszeniu **narysowałaś** jeszcze **smoka**?

– Bo Javier urodził się w roku smoka. To w chińskim horoskopie coś specjalnego. Uważam, że smok pasuje do Javiera.

– **Czy ja wiem?** Do niego bardziej pasuje jakiś kwiat... Na przykład, cha, cha, cha, narcyz! – **śmieje się** Angela. – Ale na pewno pasuje do niego gitara. A masz już prezent?

– Nie – odpowiada Mami i **wkłada** telefon do torby. – **Jakoś** nie mam pomysłu. Ale słyszałam, że te nowe studentki z grupy dla **początkujących** chcą kupić mu coś **wyjątkowego**. Niestety, nie słyszałam **dokładnie**, co to będzie.

Dziewczyny przez chwilę obserwują ulicę. Autobus jedzie kilka metrów i **znowu staje**.

– O, **popatrz** tam! – woła **nagle** Mami. – To te dziewczyny! Właśnie kupują **obwarzanki**! Widzisz tę platynową blondynkę w różowej bluzce?

– Widzę – **uśmiecha się** ironicznie Angela. – W tych krótkich spodniach wygląda strasznie. Grubo i brzydko! Zero samokrytyki!

– Angela! To nieładnie tak plotkować – mówi Mami z dezaprobatą. – To nie jej **wina**, że jest gruba, hm, hm, to znaczy... **otyła**. Na pewno chciałaby mieć taką figurę jak ty! **Poza tym** pani Maj mówi: nie to ładne, co ładne, ale to, co się komu podoba.

– To prawda. O gustach się nie dyskutuje – **zgadza się** Angela. – Ale źle jej w tych szortach **i już**! Ja wolę styl dziewczyny, która stoi obok, tej **ubranej w** podkoszulek i sweter. Ma zawsze świetną biżuterię. Javier mówił mi, że ona bardzo mu się podoba. Myślę, że on jest w niej trochę zakochany, wczoraj **pożyczył** od niej słownik...

– Prezent – Mami wraca szybko do tematu. – Co myślisz o płycie CD z muzyką do tańca?

– Bez sensu. Kto teraz słucha muzyki z płyt CD?! Musimy wybrać coś naprawdę specjalnego! Javier lubi testować nowe **potrawy**, tak? Może jakąś butelkę dobrego wina? – proponuje Angela.

– To banalne. I nie znamy się na winie – protestuje Mami. – Ale mam pomysł! Brat pani Maj ma **winnicę** niedaleko Krakowa i organizuje degustacje. To się nazywa enoturystyka. Możemy kupić Javierowi bilet na **zwiedzanie** tej winnicy.

– Świetny pomysł! Ale jak on wróci do domu po degustacji?

– No tak, tam nie można dojechać pociągiem ani autobusem.

– À propos autobusu, **co się dzieje**? – Praktycznie stoimy w miejscu – denerwuje się Angela. – **W dodatku** klimatyzacja nie **działa**! Jest upał i chce mi się pić!

– Ale jesteś dzisiaj **marudna**! Mnie też jest gorąco, a nie **narzekam** tak jak ty. O, mam inny pomysł na prezent – mały robot na baterie słoneczne. W Japonii to bardzo popularne!

– **Coś ty?** A po co mu ten robot?

– Fajnie wygląda. I **podaje drinki**.

– Ale Javier nie lubi takich technologicznych **zabawek**! Nawet telefon ma z epoki dinozaurów – mówi Angela.

– Ej, patrz tam! – **woła** Mami i pokazuje **palcem** dużą **reklamę**. – Loty balonem nad Zakopanem. Idealnie! To jest to!

– Nie, to zły pomysł – mówi **nagle** jakaś **obca** dziewczyna. – Javier mówił mi ostatnio, że ma straszny **lęk wysokości**! ▸

otyły	*obese, overweight*
poza tym	*besides*
zgadzać się	*agree*
i już	*that's all*
ubrany w	*wearing*
pożyczyć	*borrow*
potrawa	*dish*
winnica	*vineyard*
zwiedzanie	*visiting*
Co się dzieje?	*What's going on?*
w dodatku	*on top of that*
działać	*work*
marudny	*grumpy*
narzekać	*complain*
Coś ty?	*Come on!*
podawać drinki	*serve drinks*
zabawka	*toy*
wołać	*shout*
palec	*finger*
reklama	*advert*
nagle	*suddenly*
obcy	*unknown*
lęk wysokości	*fear of heights*

3

1 **Proszę odpowiedzieć na pytania.**
Answer the following questions.

1. Czy Angela i Mami jadą tramwajem? *Nie, autobusem.*
2. Kiedy i gdzie będzie impreza urodzinowa Javiera? ....
   ....
3. Jaki kwiat, zdaniem Angeli, pasuje do Javiera i dlaczego? ....
   ....
4. Czy Mami słyszała, co konkretnie chcą kupić na prezent dla Javiera
   dziewczyny z grupy początkującej? ....
5. Jakie pomysły na prezent dla Javiera mają Mami i Angela? ....
   ....
6. Co irytuje Angelę w autobusie? ....
   ....
7. Kto komentuje rozmowę Angeli i Mami? ....

2 **Co pasuje?**
Match the sentences.

1. Jak ja nie lubię korków!	2 Lepiej mówić „otyła".
2. Widzisz tę grubą dziewczynę?	Lepiej rysuję niż tańczę, to prawda.
3. Chciałabym mieć taki talent jak ty!	Lepiej taksówką.
4. A słyszałaś o tym, że...	Lepiej jeździć rowerem.
5. Ona w tych spodniach wygląda strasznie!	Lepiej nie krytykować wyglądu innych.
6. Możemy kupić wino w sklepie.	Lepiej nie plotkować w miejscu publicznym.
7. Jak wrócić do domu po degustacji wina? Pieszo?	Lepiej zwiedzać winnicę i degustować na miejscu.

3 **Co pasuje?**
Fill in the gaps.

> padać | Drogie ✓ | pogoda | Was | kwiatów | lepiej | sobotę | mi | spotykamy

Moje *Drogie* .... !

Zapraszam .... na swoją imprezę imieninową, która odbędzie się

w trzecią .... maja. Tradycyjnie .... się bez

partnerów – same kobiety! Jeżeli będzie ładna .... , robimy

piknik w parku Krakowskim. Jeżeli będzie .... deszcz, idziemy do

klubu „Tango" przy Małym Rynku. Proszę o niekupowanie prezentów ani

.... Uważam, że .... wpłacić coś na fundację chłopaka

mojej córki, która pomaga dzieciom z Ugandy!

Dajcie .... znać, czy będziecie. Już cieszę się na to spotkanie!

Joanna

4 **Co pasuje?**
Match the phrases.

1. stać w korku
2. o gustach się nie dyskutuje
3. do białego rana
4. narcyz

a każdy może mieć swoje zdanie
b egocentryk, megaloman
c nie jechać
d całą noc

5 **Proszę uzupełnić (zaimki osobowe).**
Fill in the gaps (personal pronouns).

1. Irytuje *ją* .... (ona) to czekanie.
2. On poprosił .... (ja) o projekt zaproszenia.
3. Zapraszam .... (wy) na swoje urodziny.
4. Jak .... (ty) się to podoba?
5. One chcą kupić .... (on) coś niebanalnego.
6. Myślę, że on jest w .... (ona) trochę zakochany.
7. Dlaczego Javier zaprosił .... (one) na imprezę?
8. A dlaczego nie zaprosił .... (one), nie wiesz?

Plotka

🎧 04

„POLSKI krok po kroku" 1, lekcja 17

W piękny, słoneczny dzień Zofia Nowak i jej przyjaciółka Maria siedzą na balkonie, piją kawę z koniakiem i plotkują.

– Jestem pewna, że widziałam tam właśnie jego! – mówi **podekscytowana** Maria.

– Jak mogłaś go tam widzieć? – denerwuje się Zofia. – Niemożliwe, żeby **światowej klasy** artysta grał **pod** kościołem! **Zresztą** jeszcze dziś z nim będę rozmawiać. Dzwonił, że w południe tu będzie.

– To może ja już pójdę? To **sprawa między** wami.

– **Siedź!** Przy tobie będzie musiał mówić prawdę, bo to ty go widziałaś. O, dzwonek do drzwi, idę mu otworzyć.

Po chwili Zofia wraca. **Za** nią idzie jej **wnuk** Olaf. Jest wysoki, przystojny. I wygląda na artystę: ma ekstrawaganckie okulary, modne ubranie, awangardową fryzurę, tatuaż.

– Babciu, nie chce mi się jeść, nie chce mi się pić, **za to** strasznie chce mi się spać, bo pracowałem całą noc i jestem strasznie zmęczony. Tu są zakupy dla ciebie i lekarstwa dla dziadka. Aha, i tu mam dla was bilety na koncert do filharmonii. Muszę już iść…

– Olaf, czy to prawda, że grałeś pod kościołem? – **przerywa** mu Zofia. – Maria cię tam widziała.

– Nooo… prawda – mówi powoli Olaf. – A co?

– Mówiłam ci, Zosiu! – Maria uśmiecha się z satysfakcją. – **Oczy** mam dobre. **Uszy** też. Miło mi pana poznać, panie Olafie. To był świetny koncert! Nie wiem, czy pan mnie pamięta – **wrzuciłam** do **kapelusza** 10 złotych…

– Grałeś tam za p i e n i ą d z e ?! – Zofia czuje, że zaraz eksploduje. – **Co za wstyd!**

– Babciu, **o co ci chodzi?** – pyta Olaf. – Mam 33 lata, tak? **Wydaje mi się**, że mogę robić to, na co mam ochotę!

– Masz rację: w y d a j e ci się – mówi lodowatym tonem Zofia. – Bo nie możesz. Musisz respektować fakt, że nazywasz się Nowak tak samo jak ja! Pół miasta będzie o nas plotkować! Może tobie jest **wszystko jedno**, ale mnie nie! Czy nie rozumiesz, co to znaczy dobra reputacja? Dzisiaj spotkam

---

podekscytowany *excited*

światowa klasa *world-class*

pod *outside*

zresztą *anyway*

sprawa *matter*

między *between*

Siedź! *Stay sitting!*

za *behind*

wnuk *grandson*

za to *but*

przerywać *interrupt*

oko/oczy *eye/eyes*

ucho/uszy *ear/ears*

wrzucić *throw into*

kapelusz *hat*

Co za wstyd! *What a disgrace!*

O co ci chodzi! *What are you on about?*

wydaje mi się *it seems to me*

wszystko jedno *it doesn't matter, all the same*

się z koleżankami, znasz je. Będą mnie pytać, co u ciebie słychać. Co ja mam im mówić? Że grasz pod kościołem za pieniądze?! Wstyd mi za ciebie!

- Zosiu, spokojnie - Maria wie, że to ona sprowokowała tę **awanturę** i jest jej trochę **głupio**. - Może twój wnuk teraz chciałby **wyjaśnić** ci tę sytuację? **Daj** mu szansę!

- No dobrze - mówi Olaf z **rezygnacją**. - To było **tak**: szedłem przez rynek i słyszałem, że młody chłopak gra Vivaldiego. Miał świetny instrument, a grał fatalnie. Tortura dla uszu! **Akurat** skończył i pakował instrument, więc **podszedłem** do niego i zapytałem, czy mu nie wstyd tak masakrować piękną muzykę. A on z ironicznym **uśmiechem** powiedział, że jak jestem taki **mądry**, to mogę sam grać. Podał mi swoje skrzypce, a ja automatycznie **wziąłem** je i **zacząłem** grać. Byłem jak w **transie**, czułem jakieś dziwne wibracje, nawet zamknąłem oczy! Kiedy je otworzyłem, **dookoła** mnie stała duża grupa ludzi i biła mi brawo. Ten chłopak podszedł do mnie i pokazał mi, ile pieniędzy jest w kapeluszu. Powiedział, że nigdy tyle nie dostał i chciał mi je dać!

- Tak, widziałam - kapelusz był **pełen** banknotów! - przerywa Maria.

- Chyba ich nie wziąłeś? - pyta **ostro** Zofia.

- Babciu, proszę cię... Jasne, że nie! Ale wtedy zobaczyłem... dziewczynę. Znowu poczułem te dziwne wibracje - może jakaś magia była między mną a nią? Nie umiem wam tego wyjaśnić. **Grom z jasnego nieba! Pobiegłem** kupić kwiaty do kwiaciarni obok, chciałem zaprosić ją na kawę, ale kiedy wróciłem, to już jej nie było. Teraz, kiedy mam czas, gram pod tym kościołem. **Jeżeli** ten moment był ważny też dla niej, to może szukać mnie właśnie tam, tak?

- Jakie to romantyczne! - mówi Maria. - Bardzo podoba mi się ta historia z **tajemniczą nieznajomą**, panie Olafie. **Mam nadzieję**, że pan znowu ją spotka. Zosiu, a ty?

- A ja mam nadzieję, że będzie grać tylko w nocy, kiedy n i k t go nie będzie widział! - **wzdycha** Zofia! ›

awantura *argument*
głupio (jej) *she feels silly*
wyjaśnić *explain*
dać *give (a chance)*
rezygnacja *resignation*
tak *like this*
akurat *just*
podejść *go up to*
uśmiech *smile*
mądry *clever*
wziąć *take*
zacząć *begin*
trans *trance*
dookoła *around*

pełen *full of*

ostro *sharply*

grom z jasnego nieba
   a bolt from the blue sky
pobiec *run*
jeżeli *if*
tajemnicza nieznajoma
   mysterious (unknown)
   woman
mam nadzieję *I hope*

wzdychać *sigh*

ćwiczenia
exercises

1 **Co pasuje? Proszę wybrać odpowiedź zgodnie z tekstem.**
Underline the correct answer on the basis of the text.

1. Przyjaciółki Maria i Zofia siedzą <u>na balkonie</u> | na sofie.
2. One piją coś bezalkoholowego | z alkoholem.
3. Maria opowiada, kogo widziała pod kościołem | w kościele.
4. Wnuk Zofii jest nie bardzo znanym | sławnym **muzykiem.**
5. On nie ma czasu dla babci, bo jest zmęczony | idzie do pracy.
6. Babcia Zofia jest spokojna | zdenerwowana.
7. Olaf był na rynku | na koncercie.
8. Młody chłopak miał wyjątkowy talent | instrument.
9. Olaf zobaczył w grupie słuchaczy znajomego | dziewczynę.
10. Dla babci Zofii granie pod kościołem to wstyd | romantyzm.

2 **Proszę uzupełnić.**
Fill in the gaps.

1. Czy znasz tego przystojnego Olafa? Tak, znam *go* .
2. Czy czekamy na twoich dziadków? Tak, czekamy na .
3. Czy dostałeś to od swojej babci? Tak, dostałem to od .
4. Czy oni są u tamtych nowych znajomych? Tak, są u .
5. Czy interesujesz się tym chłopakiem? Tak, interesuję się .
6. Czy myślisz o mojej koleżance? Tak, myślę o .

3 **Co pasuje?**
Underline the correct answer.

1. Zaraz z <u>nim</u> | niego | niemu porozmawiam.
2. Tu są zakupy dla ci | tobie | ciebie.
3. Pół miasta będzie o nami | nam | nas plotkować!
4. Młody chłopak podszedł do mi | mną | mnie.
5. Między nimi | ich | nich coś było – jakaś magia.
6. Czy dla jej | niej | ją ten moment też był ważny?
7. Przy ci | ciebie | tobie będzie musiał mówić prawdę.

4 ***Proszę dopasować i uzupełnić zaimek osobowy „ty" w odpowiedniej formie.***
Match the words and fill in the gaps with appropriate forms of „ty"

1. Zostaniesz moją żoną?

2. Jakie piękne kwiaty!

3. Wiem, jestem spóźniony.

4. Pamiętasz tytuł tej piosenki?

5. Mam jutro urodziny.

6. Masz problem?

7. Kupisz mi dwa obwarzanki?

8. Gdzie jesteś?!

9. Nie mogę się skoncentrować.

Dziękuję .... z całego serca!

Zapraszam .... na imprezę.

1 Kocham *cię* ...... nad życie.

Przepraszam ...., ale był korek.

Proszę ...., ja nie mam czasu.

Myślę o .... cały czas...

To „Z .... chcę oglądać świat".

Jak mogę .... pomóc?

Czekam na .... od kwadransa!

5 ***Proszę zastąpić wyróżnione słowa zaimkami w odpowiedniej formie i dokończyć tę historię.***
Replace the highlighted words with pronouns in the appropriate form and finish the story.

Jak plotka o Olafie i dziewczynie **1** *nich* .... doszła do Zofii? To Maria powiedziała Zofii **2** ...., że widziała Olafa i dziewczynę **3** .... na rynku. Zofia przy Marii poprosiła Olafa **4** .... o wyjaśnienie. On powiedział Zofii i Marii **5** .... o dziewczynie tyle, ile o tej dziewczynie **6** .... wiedział. Maria była ciekawa, czy Olaf spotka tę dziewczynę **7** .... jeszcze raz. Następnego dnia była u fryzjera i opowiedziała fryzjerowi **8** .... całą historię. On powtórzył tę historię **9** .... klientce, która była dziennikarką i...

słowniczek
glossary

polski	English	your notes

rzeczownik *noun*

ubranie	*clothing*	....
bluzka	*blouse*	....
podkoszulek	*T-shirt*	....
spodnie	*trousers*	....
sweter	*sweater*	....
impreza	*party*	....
biżuteria	*jewellery*	....
kwiaty	*flowers, pot plants*	....
płyta	*record*	....
pomysł	*idea*	....
prezent	*present, gift*	....
słownik	*dictionary*	....
urodziny	*birthday*	....
zabawa	*fun*	....
zaproszenie	*invitation*	....
uczucie	*feeling, affection*	....
walentynki	*Valentine's Day*	....

inne *other*

brzydko	*ugly*	....
grubo	*fat*	....
ładnie	*prettily, nicely*	....
miło	*nice, nicely*	....
pięknie	*beautifully*	....
strasznie	*awfully, terribly*	....
spokojnie	*calmly*	....
świetnie	*great, brilliantly*	....
lepiej	*better*	....

banalny	trivial	....
zakochany	in love	....
zmęczony	tired	....
moim zdaniem	in my opinion	....

czasownik *verb*

chce mi się...	I want to/need to...	....
cieszyć się	enjoy	....
dawać	give	....
denerwować się	be upset	....
dostawać	get	....
irytować się	be irritated, annoyed	....
pakować	pack	....
pasować	suit	....
plotkować	gossip	....
podobać się	be to sb's liking, appeal to sb	....
poznawać	get to know	....
proponować	suggest	....
prosić o	ask for	....
uważać	take care	....
woleć	prefer	....
wybierać	choose	....
wyglądać	look	....
zapraszać	invite	....
znać się	know about	....

5

Wypadek

05

„POLSKI krok po kroku" 1, lekcja 18

trzymać nogi *have legs*
(on the table)

w proszku *instant,*
powdered

przestraszony *frightened*

podskakiwać *jump*

odebrać *answer*

głos *voice*

zapomnieć *forget*

orientować się *realize*

ślisko *slippery*

wypadek *accident*

gips *plaster*

czuć się *feel*

teren *premises*

nie wolno palić *smoking*
is not allowed

zły jak wszyscy diabli
angry as hell

złapać *catch*

zjechać *go down*

wózek *wheelchair*

zabrać *take away*

paczka *packet*

niesprawiedliwe *not fair*

warsztaty *workshops*

wyłączony *turned off*

patrzeć *look*

czytać w myślach *read*
thoughts

coś na ząb *a bite to eat*

Oliwier Nowak jest sam w domu. Siedzi w kuchni, **trzyma nogi** na stole. W jednej ręce ma kubek z zupą **w proszku**, w drugiej ręce trzyma komórkę i czyta artykuł o morderstwie w teatrze. Kiedy telefon zaczyna dzwonić, **przestraszony** Oliwier **podskakuje** na krześle.

– W końcu ktoś z was **odebrał** telefon – słyszy **głos** babci Zofii. – Gdzie jest twój ojciec? Po południu miał być u mnie i co? **Zapomniał** o zakupach?

– Nie, od wczoraj jest w szpitalu – automatycznie odpowiada Oliwier. Od razu **orientuje się**, że to nie jest dobry pomysł mówić o tym babci dopiero teraz.

– I ja nic nie wiem?! Co się stało?

– Nic poważnego. Jechał na rowerze trochę za szybko, na ulicy było **ślisko** po deszczu i miał mały **wypadek**. Teraz ma nogę w **gipsie**.

– Jak on **się czuje**?

– Noga w porządku, ale na **terenie** szpitala **nie wolno palić**, więc tata jest **zły jak wszyscy diabli**. Najpierw lekarz **złapał** go na paleniu na korytarzu przy oknie. Potem tata próbował palić w toalecie, ale włączył się alarm. Był tak zdesperowany, że chciał **zjechać** na **wózku** do piwnicy, ale zablokował się w windzie. No i w końcu lekarz **zabrał** mu papierosy. Tata mówi, że w **paczce** miał jeszcze dużo papierosów i że to **niesprawiedliwe**, bo ten lekarz też pali. Widział go na schodach na strych.

– Czy twoja matka jest z nim?

– Nie, mama jest na **warsztatach** terapeutycznych w Sopocie. Nic nie wie o wypadku, bo w pracy ma **wyłączony** telefon. Wraca jutro w nocy.

– Aha. Więc jesteś sam. Byłeś gdzieś na obiedzie?

– Eee, nie… – spanikowany Oliwier **patrzy** na kubek z zimną już zupą. Boi się, że babcia umie **czytać w myślach**. – Zrobiłem sam **coś na ząb**.

– A pamiętasz o kocie?

Kot! Oliwier szybko kończy rozmowę z babcią i intensyw-

CZYTAJ

nie myśli, kiedy ostatni raz go widział. Przy lodówce stoją pełne **miski** z jedzeniem, więc w kuchni dawno kota nie było. Na pewno jest w sypialni u rodziców. Kiedy ich nie ma, kot śpi na dywanie przy łóżku albo na **poduszce** taty.

– Figaro! Kici, kici! – Oliwier **rozgląda się** po mieszkaniu.

Dziwne – w pokoju rodziców kota nie ma. Nie ma go nie tylko na łóżku, ale też w szafie, w której lubi spać na **bluzkach** mamy. Oliwier szuka też w **szufladach** w biurku i w komodzie – kto wie, może Figaro umie je otwierać? Ale **ani śladu**… Nie ma go też w łazience ani w salonie. Oliwier krok po kroku sprawdza wszystkie ulubione miejsca kota – na regale z książkami, na półce przy telewizorze, w przedpokoju w szafce z butami, **nawet** w pralce. Niestety, Figaro **zniknął jak kamfora**!

– Balkon! – myśli Oliwier. – Ostatnia szansa! Figaro lubi siedzieć na balkonie i obserwować, jak Lulu – pies sąsiadów – spaceruje **po podwórku**.

Ale i tam go nie ma. **Przy okazji** Oliwier krytycznym okiem patrzy na balkon: na brudnym stoliku leżą **zapałki**, w rogu stoi **choinka** z zeszłego roku. Za to balkon **sąsiadów** wygląda świetnie: na czystej podłodze stoi piękny **drewniany** fotel, a pod sufitem i na ścianie wiszą kwiaty w **doniczkach**.

Nagle Oliwier widzi, że u sąsiadów otwierają się drzwi balkonowe. Z mieszkania wychodzi dziewczyna z szarym kotem na rękach.

– Musisz wracać do domu, twoi **państwo** na pewno się martwią, gdzie jesteś! – mówi **słodko** do kota. – Och, Oliwier! To ty?!

– Angela?! – Oliwier też jest **zaskoczony**.

– Dlaczego nie zadzwoniłeś? **Przecież** miałeś mój numer!

– Miau! – **potwierdza** Figaro, **skacze** na swój balkon i **błyskawicznie znika** w mieszkaniu. ▸

miska *bowl*

poduszka *pillow*
rozglądać się *look around*

bluzka *blouse*
szuflada *drawer*
ani śladu *no trace*

nawet *even*
zniknąć jak kamfora
   disappear into thin air
po podwórku *around the*
   courtyard
przy okazji *taking the*
   opportunity
zapałki *matches*
choinka *Christmas tree*
sąsiad *neighbour*
drewniany *wooden*
doniczka *plant pot*

państwo *owners*
słodko *sweetly*
zaskoczony *surprised*
przecież *after all*
potwierdzać *confirm*
skakać *jump*
błyskawicznie *instantly*
znikać *disappear*

ćwiczenia
exercises

1

Proszę odpowiedzieć na pytania.
Answer the questions.

1. Czy Oliwier Nowak jest teraz w pracy? *Nie, w domu.*
2. O czym on czyta? ....
3. Kto dzwoni do Oliwiera? ....
4. Gdzie jest jego tata? Dlaczego? ....
5. Czego nie wolno robić na terenie szpitala? ....
6. Gdzie jest mama Oliwiera? ....
7. Gdzie Oliwier szuka kota? ....
   ....
8. Czy balkon sąsiadów wygląda tak samo źle jak balkon Nowaków? ....
   ....
9. Kto jest na balkonie obok? ....

2

Co nie pasuje? Dlaczego?
What is the odd one out? Why?

1. **mieszkanie:** łazienka | ~~podwórko~~ | przedpokój | salon
2. **kuchnia:** prysznic | kuchenka | lodówka | szafka
3. **sypialnia:** łóżko | pralka | poduszka | komoda
4. **balkon:** doniczka | kwiaty | winda | stolik
5. **budynek:** piwnica | świat | strych | schody
6. **szpital:** korytarz | łóżko | gips | dywan

3

Co pasuje?
Match the words.

2. jeździć   4. leżeć

1. zupa   3. noga   5. czytać

b w łóżku   d w myślach

a w gipsie   c w proszku   e na rowerze

CZYTAJ

4 ***Proszę uzupełnić.***
Fill in the gaps.

1. Oliwier idzie do kuchni. → W *kuchni* je późny obiad.
2. On jedzie do szpitala. → W .... jest jego ojciec.
3. Tata wychodzi z toalety. → W .... on palił papierosa.
4. Jutro mama wraca z Sopotu. → W .... ona pracowała.
5. Najpierw idzie do sypialni. → W .... kot lubi spać.
6. Potem idzie do łazienki. → W .... kota też nie ma.

5 ***Proszę uzupełnić (miejscownik).***
Complete the sentences (Locative).

Oliwier jednocześnie pracuje na *komisariacie* (komisariat)
i studiuje prawo na .... (uniwersytet). On zawsze marzył
o .... (praca) w .... (policja). Chciałby czytać książki
o swoim .... (ulubiony detektyw)
w .... (oryginał). Oliwier w .... (zima) biega na
.... (narty *l.mn.*) albo jeździ na .... (snowboard).
Lubi chodzić po .... (Tatry *l.mn.*), spacerować po ....
(plaża) i podróżować po .... (Polska). Nie lubi rozmawiać
o .... (polityka), ... (religia) i ....
(pieniądze *l.mn.*). On gra na .... (gitara), jego siostra Olga na
.... (flet), a brat Olaf na .... (skrzypce *l.mn.*).
Oliwier ma swój profil na .... (portal
randkowy), bo szuka dziewczyny swoich marzeń.

6 ***Co pasuje?***
What does this mean?

1. zupa w proszku – <u>instant</u>   gotowana od zera
2. zły jak wszyscy diabli – trochę zirytowany   bardzo zdenerwowany
3. czytać w myślach – marzyć   wyczuwać intuicyjnie
4. coś na ząb – coś małego do jedzenia   jakiś problem stomatologiczny
5. zniknąć jak kamfora – było, a teraz nie ma ani śladu   mocno spać

trawnik *lawn*

alejka *path*

ławka *bench*

liść *leaf*

zeszły *last*

pora *(at this) time*

rekompensata

  compensation

zmiana *change*

śmieci *rubbish*

kosz *wastebin*

praktyki *internship*

przypominać sobie

  bring to mind

tłum *crowd*

słabo *(it makes me) sick*

wycieczka *trip*

przewodnik *guide-book*

plaża *beach*

żaden *not any*

rok przerwy *gap year*

świat *world*

doktorat *doctorate*

wschód *east*

wieś *village*

granica *border*

Karolina Maj i jej chłopak Patryk spacerują po parku. Wszędzie – na **trawnikach**, na **alejkach**, na **ławkach**, leżą kolorowe **liście**.

– Jaki piękny dzień w listopadzie! – dziwi się Karolina. – Pamiętasz? W **zeszłym** roku byliśmy o tej **porze** w Tatrach i siedzieliśmy cały dzień w hotelu, bo nie chcieliśmy chodzić po górach w deszczu.

– Pamiętam, że w tym roku w lipcu, kiedy byliśmy na kempingu, też padało od rana do wieczora! Może ta piękna jesień to **rekompensata** od natury – śmieje się Patryk.

– Tak, **zmiany** w klimacie są straszne! Ludzie w ogóle nie myślą o ekologii w codziennym życiu. Zobacz, ile jest plastikowych **śmieci** w tym **koszu**!

– À propos ekologii, musimy o czymś porozmawiać – mówi powoli Patryk. – W przyszłym tygodniu kończę **praktyki** w Warszawie. Ale wiesz, że nie chcę znowu mieszkać w Krakowie. Kiedy **przypominam sobie** o smogu w zimie i o **tłumach** turystów w lecie, robi mi się **słabo**…

– Nie jest tak źle! Ale czy to znaczy, że już zdecydowałeś, gdzie będziesz studiować? W Hiszpanii, tak? Bo ja marzę o **wycieczce** do Barcelony, czytałam dużo **przewodników** po tym mieście: o katedrze, o parku, o targu, o **plaży**…

– Ani w Madrycie, ani w Brukseli, ani w Wiedniu – przerywa Patryk. – W **żadnym** dużym mieście. Myślę nie o studiach i nie o pracy, myślę o **roku przerwy**!

– O czym? – pyta zdziwiona Karolina. – Słyszałam o tym pomyśle – spędzasz rok na podróżach po **świecie**, tak? Ale byłam pewna, że ty marzysz o studiowaniu na dobrym uniwersytecie gdzieś w Europie! A potem o **doktoracie**!

– Na razie nie myślę o karierze. Mam inny pomysł na ten rok – będę mieszkać daleko od cywilizacji. Kolega powiedział mi o takim miejscu na **wschodzie** Polski. To jest mała **wieś** przy **granicy**, gdzie mieszka tylko jeden stary mężczyzna. Wyobrażasz sobie? Sam w wielkim domu! Siedzi zamknięty w czterech ścianach i albo patrzy w sufit, albo pije do lustra…

CZYTAJ

Będę pomagać mu w codziennym życiu, a w wolnym czasie chcę realizować nowy projekt. I będę budować eko dom.

– Nigdy nic nie mówiłeś o eko domu! Co masz na myśli? – pyta **zaniepokojona** Karolina.

– Zobacz – Patryk **rysuje** plan domu na jakiejś **kartce**, którą **znalazł** w torbie. – Chcę mieszkać w budynku ekologicznym i ekonomicznym. Tylko naturalne materiały – **ziemia** i **drewno**. Okna będą **okrągłe**, drzwi też – jak w **bajce**! Na **dachu** – panele słoneczne, akumulatory energii i rezerwuar na wodę deszczową. **Ogrzewanie** będzie na drewno, które będę kupować na miejscu, w **lesie**. Kominek znalazłem już w internecie. Meble mogą być **używane**, zresztą myślę tylko o ważnych **sprzętach** – o stole, krześle, łóżku. **Zamiast** szafy – wieszak, zamiast lodówki – spiżarnia, zamiast zlewu czy umywalki – miska z wodą! **Mniej znaczy więcej!** Mogę przecież żyć bez pralki, zmywarki czy prysznica...

– No właśnie miałam pytać – przerywa Karolina. – Co z łazienką i toaletą?

– Zawsze marzyłem o wannie w lesie! Ubikacja może być **na zewnątrz**, jaki to problem?

– A twoje mieszkanie w Nowe Hucie?

– Mój kuzyn będzie tam mieszkać.

– Ten kuzyn, który jest fotografem w Paryżu? Planowaliście razem projekt „Dwanaście ulic metropolii" i co? Tego projektu nie można robić **na wsi**!

– Dlatego on będzie kończyć ten projekt sam, a ja będę robić coś innego: „12 obrazów prowincji". W każdym miesiącu jedno spektakularne zdjęcie – mówi Patryk i wyciąga komórkę z torby. – Pierwsze zdjęcie już mam, zobacz!

– A tam jest **zasięg** i internet? – pyta Karolina z **błyskiem** w oku.

– No nie, ale...

– Aaa, czyli mówisz o marzeniach, a nie o planach! ▸

---

zaniepokojony *anxious*
rysować *draw*
kartka *piece of paper*
znaleźć *find*
ziemia *earth*
drewno *wood*
okrągły *round*
bajka *fairy-tale*
dach *roof*
ogrzewanie *heating*
las *forest*
używany *used, second-hand*
sprzęt *furnishings*
zamiast *instead of*
mniej znaczy więcej *less means more*
na zewnątrz *outside*

na wsi *in the countryside*

zasięg *mobile signal*
błysk *sparkle, glint in her eye*

1 **Prawda** *(P)* **czy nieprawda** *(N)?*
True (P) or false (N)?

	P	N

1. Karolina i Patryk spacerują po jesiennym parku. ✓

2. W zeszłym roku oni byli w górach.

3. Patryk nie chce wracać do Krakowa.

4. Karolina marzy o wycieczce do Madrytu.

5. Patryk myśli o miesiącu przerwy.

6. On chciałby mieszkać na wsi.

7. Patryk planuje żyć w harmonii z naturą.

8. Karolina będzie mieszkać w mieszkaniu Patryka.

9. Patryk będzie mógł pracować przez internet.

2 **Proszę uzupełnić,**
a następnie dopasować.
Fill in the gaps and match
the phrases.

1. siedzieć

2. spacerować

3. myśleć

4. mieszkać

5. marzyć

6. studiować

7. pomagać

8. rysować

a w .... (miasto)
   albo na .... (wieś)

b o ....
   (nasza planeta)

c na ....
   ....
   (dobry uniwersytet)

d po ....
   .... (jesienny park)

e w *hotelu* .... (hotel)

f w ....
   .... (codzienne życie)

g na ....
   .... (czysta kartka)

h o .... (podróż *l.mn.*)
   po .... (świat)

3 **Proszę uzupełnić (miejscownik).**
Complete the sentences (Locative).

W _Tatrach_ (Tatry *l.mn.*) oni chodzili po _____ (góra *l.mn.*).

Na _____ (Mazury *l.mn.*) spali na _____ (kemping).

W _____ (Warszawa) Patryk był na _____ (praktyka *l.mn.*)

w _____ (duża korporacja). Karolina nigdy nie była

w _____ (Barcelona), ale dużo czytała o _____

(zabytek *l.mn.*) tego miasta w _____ (przewodnik *l.mn.*), dlatego

marzy o _____ (wycieczka) po _____ (stolica) Katalonii.

4 **W którym miesiącu?**
In which month?

1. Liście spadają z drzew w _listopadzie_ (XI).
2. Liście na drzewach są najbardziej kolorowe w _____ (X).
3. Trawa zaczyna być zielona w _____ (III).
4. Największy smog jest w _____ (I).
5. Ziemia jest twarda jak kamień w _____ (II).
6. Najlepiej jechać w Tatry we _____ (IX).
7. Ekwinokcjum, to znaczy równonoc letnia, jest w _____ (VI),
   a równonoc zimowa – w _____ (XII).
8. Dzień Ziemi jest w _____ (IV).
9. Intensywne opady deszczu są zwykle w _____ (VII).
10. Ludzie chętnie jeżdżą na urlop w _____ (VIII).

5 **Tak czy nie?**
Yes or no?

1. „Zamknięty w czterech ścianach" to znaczy w izolacji.   _tak_
2. „Pić do lustra" to znaczy imprezować ze znajomymi.   _____
3. „Jak w bajce!" to pięknie, świetnie, fantastycznie.   _____
4. „Z błyskiem w oku" mówią tylko osoby w okularach.   _____

słowniczek
glossary

polski	English	your notes

rzeczownik *noun*

korytarz	*corridor*	....
kuchnia	*kitchen*	....
łazienka	*bathroom*	....
piwnica	*basement*	....
przedpokój	*hall*	....
salon	*living room*	....
schody	*stairs*	....
spiżarnia	*pantry*	....
strych	*loft, attic*	....
sypialnia	*bedroom*	....
winda	*lift*	....
podłoga	*floor*	....
róg	*corner*	....
sufit	*ceiling*	....
ściana	*wall*	....
meble	*furniture*	....
biurko	*desk*	....
fotel	*armchair*	....
dywan	*carpet*	....
kominek	*fireplace*	....
komoda	*chest of drawers*	....
kuchenka	*cooker*	....
lodówka	*fridge*	....
lustro	*mirror*	....
łóżko	*bed*	....
obraz	*picture*	....
półka	*shelf*	....

pralka	washing machine	....
prysznic	shower	....
regał	bookcase, shelving	....
sofa	sofa	....
stolik	little table	....
szafa	wardrobe	....
szafka	cabinet, cupboard	....
ubikacja	toilet	....
umywalka	wash basin	....
wanna	bath	....
wieszak	clothes rack	....
zlew	sink	....
zmywarka	dishwasher	....

inne *other*

na	on	....
o	about	....
przy	by	....
po	after, around, for	....
w	in	....

czasownik *verb*

leżeć	lie	....
stać	stand	....
wisieć	hang	....
marzyć	dream	....
podróżować	travel around	....
po świecie	the world	

7

Korek

🎧 07

przytulny *cosy*

kamienica *tenement
    building*
okazać się *turn out*
szukać wiatru w polu
    *is nowhere to be found
    (do a moonlight flit)*
na razie *for now*
zapas *reserve supply*

oburzony *outraged*
poza tym *besides*
działać *work*
nalać *pour*

wściekły *furious*
korek *plug*
sklep instalacyjny
    hardware shop
dres *tracksuit*
sprzedawca *salesman,
    shop assistant*
z widzenia *by sight*
pewny siebie
    self-confident
pech *bad luck*
westchnąć *sigh*
jednorodzinny *detached
    house*

Angela miała problem. Duży problem.

Przeprowadziła się tu miesiąc temu. Mieszkanie było **przytulne**, słoneczne, w dobrej okolicy, z widokiem na park. Nie narzekała też na sąsiadów – było bardzo cicho. Potem zorientowała się, że mieszka sama w całej **kamienicy**. **Okazało się**, że właścicielka budynku sprzedała go i zniknęła. Wzięła od Angeli kaucję, czynsz za trzy miesiące z góry i **szukaj wiatru w polu!**

Nowy właściciel kamienicy nie wynajmował mieszkań, bo planował zrobić tu hotel. **Na razie** komplikował życie Angeli.

– Robimy remont instalacji. Nie będzie mieć pani dostępu do wody przez kilka dni. Proszę przygotować sobie **zapas** – poinformował ją przez telefon dzisiaj rano.

– Co?! – zapytała **oburzona** Angela. – Przepraszam, a gdzie mam zrobić ten zapas wody? **Poza tym** kiedy nie będzie wody, nie będzie **działać** ogrzewanie!

– Może pani **nalać** wodę do wanny. To nie mój problem – skończył rozmowę mężczyzna.

– Uhhh…!

Wściekła Angela poszła do łazienki i zaczęła szukać **korka** do wanny. Niestety, nigdzie go nie było. Ani śladu!

Od razu poszła do **sklepu instalacyjnego** obok. Była zdenerwowana, bez makijażu, w domowym **dresie**. **Sprzedawca**, który znał ją **z widzenia** jako elegancką i **pewną siebie** dziewczynę, zapytał, co się stało.

– Wie pan, ja to mam **pecha** – **westchnęła** Angela. – Najpierw wynajmowałam mieszkanie w domu **jednorodzinnym**. Samodzielne, świetnie wyposażone, z osobnym wejściem, ale ze wspólną ścianą z mieszkaniem studenckim. Studenci imprezowali cały czas, a ja nie mogłam spać, bo ta ściana była chyba z papieru. Koszmar! Potem przeprowadziłam się do hotelu. Tam też miałam pecha, bo pokój był na ostatnim piętrze, a winda nie działała. Chodzenie po schodach jest zdrowe, ale nie kilka razy dziennie na piąte piętro! W dodatku klimatyzacja była tak głośna, że znowu nie mogłam spać.

– No i pewnie tanio nie było – sprzedawca **pokiwał głową** ze zrozumieniem.

– **Horrendalnie** drogo! Teraz wynajmuję mieszkanie w kamienicy obok, ale znowu mam pecha. W zeszłym tygodniu właściciel budynku **wyłączył** mi prąd i gaz na cały weekend. Zaraz nie będzie wody, a ja nie mogę znaleźć korka do wanny...!

Tu Angela **rozpłakała się** jak dziecko.

– Proszę nie płakać – sprzedawca podał Angeli **chusteczkę**. – Chyba mogę pani pomóc! Mam tanią kawalerkę na wynajem od zaraz. To blisko, na wprost kamienicy, w której teraz pani mieszka. Możemy **się umówić**, że przez trzy miesiące będzie pani płacić tylko za media, ale zrobi tam pani mały remont **na własny koszt**. **Trzeba** tylko trochę **odświeżyć** ściany, na pewno ma pani jakichś kolegów do pomocy.

Angela zgodziła się od razu. Potem zadzwoniła **po** Javiera i Toma – poszli zobaczyć jej nowe mieszkanie **we troje**.

– Jesteś pewna, że to tutaj? – zapytał Javier. – To są schody do piwnicy!

– Ten **facet** ze sklepu mówił, że to niski parter... – powiedziała niepewnie Angela.

– Ooo! – **krzyknęli** wszyscy, kiedy **weszli** do środka.

Mieszkanie było jednopokojowe, miało może 20 metrów kwadratowych. Aneks kuchenny był za **zasłoną** w jednym rogu, w drugim rogu stał prysznic, też za zasłoną. Pod sufitem znajdowało się małe okienko z widokiem na buty **przechodniów**. Pokój był **dziwnie** umeblowany, ale **największe wrażenie robiły** ściany.

– Wiesz, kto tu wcześniej mieszkał? – Tom jako pierwszy **odzyskał mowę**.

– Wiem – powiedziała **blada** jak ściana Angela. – Graffi-ciarz... ›

pokiwać głową	*nod one's head*
horrendalnie	*horrendously, terribly*
wyłączyć	*turn off*
rozpłakać się	*burst into tears*
chusteczka	*tissue, handkerchief*
umówić się	*come to an agreement*
na własny koszt	*at your own expense*
trzeba	*it needs (to be done)*
odświeżyć	*freshen*
po	*for*
we troje	*all three together*
facet	*guy*
krzyknąć	*shout*
wejść	*go in*
zasłona	*curtain*
przechodzień	*passer-by*
dziwnie	*strangely (furnished)*
największy	*the biggest*
robić wrażenie	*make an impression*
odzyskać mowę	*find one's voice*
blady	*pale*

1 **Co pasuje? Proszę podkreślić odpowiedź zgodnie z tekstem.**
Underline the correct answer on the basis of the text.

1. Mieszkanie Angeli było <u>jasne i ciche</u> | ciemne.
2. Angela narzekała na sąsiadów | właściciela kamienicy.
3. Następnego dnia miało nie być wody | gazu i prądu.
4. Angela szukała korka do umywalki | wanny.
5. Poszła do sklepu instalacyjnego | hydraulika.
6. Pierwsze mieszkanie Angeli było w bloku | domu jednorodzinnym.
7. To było mieszkanie dzielone ze studentami | samodzielne.
8. Potem ona mieszkała w drogim hotelu | tanim hostelu.
9. Aktualne mieszkanie jest w starym | nowym budownictwie.

2 **Co pasuje?**
Match the phrases.

1. widok na   a schodach
2. opłaty za   b wynajęcia
3. czynsz za   c media
4. dostęp do   d park
5. przeprowadzić się do   e nowego mieszkania
6. schody na dół do   f własny koszt
7. chodzić po   g wynajem
8. mieszkanie na   h miesiąc z góry
9. dom do   i piwnicy
10. remont na   j wody

3 **Jakie problemy miała Angela?**
What problems did Angela have?

W domu jednorodzinnym ....

....

W hotelu ....

....

CZYTAJ

4 **Proszę napisać pytania.**
Write the questions for these answers.

1. *Czy ogłoszenie jest jeszcze aktualne* ?

   Tak, aktualne.

2. ....?

   Nie, to kawalerka: pokój z aneksem kuchennym i łazienką.

3. ....?

   Dwadzieścia metrów kwadratowych.

4. ....?

   Na parterze.

5. ....?

   Nie, ale można bez problemu parkować na ulicy przed blokiem.

6. ....?

   Centralne, płatne w czynszu. To około 200 złotych miesięcznie.

7. ....?

   Blok jest stary, ale mieszkanie po kapitalnym remoncie.

8. ....?

   1000 zł wynajem plus media.

9. ....?

   Od zaraz.

5 **Synonim (=) czy antonim (≠)?**
Synonym (=) or antonym (≠)?

1.	przytulny	=	intymny
2.	szukać wiatru w polu		szukać bez rezultatu
3.	mieć pecha		mieć szczęście
4.	koszmar		makabra
5.	horrendalnie drogi		kosztowny
6.	blady jak ściana		czerwony jak burak

8

Pantera

🎧 08

„POLSKI krok po kroku" 1, lekcja 19

mimo że *even though*

drogowskaz *sign post*

nieczynny *not working*
rosnąć *grow*
ponury *gloomy*
firanka *net curtains*

ciekawe *I wonder*
brama *gate*
rzeźba *sculpture*
z powodu *because of,*
due to
postanowić *decide*
wyprzedaż *sale*
wystawa *window display*
zabawka *toy*
pluszowy *plush*
wielki *large*
dorosły człowiek *grown*
man
głowa *head*
miasteczko *small town*
zresztą nieważne
anyway never mind
rocznica ślubu *wedding*
anniversary
skłamać *lie*

Uwe wracał od klienta z Niemiec. Od kilku godzin siedział w samochodzie. **Mimo że** samochód był nowoczesny i wygodny, Uwe był już zmęczony.

– Przerwa na obiad – pomyślał, kiedy zobaczył **drogowskaz** z nazwą jakiegoś małego miasta, które leżało w pobliżu. – W każdym mieście można coś zjeść!

Po kwadransie dojechał do centrum. Na środku rynku stała **nieczynna** fontanna. Koło fontanny **rosło** stare drzewo. Dookoła stały **ponure** kamienice. Na dole były sklepy, a na górze chyba nikt nie mieszkał, bo nie widział **firanek** w oknach. Po prawej stronie stał kościół, po lewej komisariat policji, a między nimi restauracja „Pod Psem".

– **Ciekawe**, dlaczego nazywa się „Pod Psem"? – pomyślał Uwe. – Nad **bramą** kamienicy nie ma **rzeźby** psa…

Zaparkował samochód przed komisariatem i poszedł do restauracji. Na drzwiach wisiała kartka „zamknięte **z powodu** remontu", ale w środku nikt nie pracował. **Postanowił** poszukać innego miejsca. W sklepie obok nieczynnej biblioteki wisiało ogłoszenie: „lokal do wynajęcia, **wyprzedaż** -70%!". Na **wystawie**, między plastikowymi **zabawkami**, zobaczył **pluszową** panterę w kolorze różowym. Była **wielka** jak **dorosły człowiek**! Siedziała na krześle, jej **głowa** smutno wisiała. Wyglądała jak ktoś, kto śpi albo myśli o tym smutnym, prowincjonalnym **miasteczku**.

W tym momencie zadzwonił telefon. To był kolega z pracy.

– Cześć, co robisz? – zapytał Robert.

– Oglądam różową panterę – uśmiechnął się Uwe.

– Oglądasz filmy w godzinach pracy? **Zresztą nieważne**, będziesz wieczorem w klubie? Nie zapomniałeś o imprezie?

Uwe nigdy nie pamiętał o urodzinach, imieninach i **rocznicach ślubu**. O imprezie Roberta oczywiście też zapomniał.

– Jasne, że pamiętam! – **skłamał**. – O której godzinie się spotykamy?

– O ósmej. Ale jeżeli jesteś już w domu, to możesz być wcześniej.

– Jestem jeszcze w **delegacji**. Właśnie stoję na rynku w dziwnym miasteczku.

delegacja *business trip*

– A mówiłeś coś o filmie?

– Nie, mówiłem o wielkiej pluszowej panterze.

– Serio? Kiedyś dostałem **taką** panterę na urodziny od współlokatora.

taki *such a, like that*

– I co? – zainteresował się Uwe.

– I nic. **Pokłóciliśmy się** i miesiąc później przeprowadził się do samodzielnej kawalerki. Byłem tak zły, że **wyrzuciłem** panterę przez okno.

pokłócić się *have an argument*
wyrzucić *throw out*

– A na którym piętrze mieszkałeś?

– Cha, cha, na pierwszym! To był krótki lot. **Wylądowała** u sąsiada, który miał na parterze biuro nieruchomości. Potem policja aresztowała go za korupcję. Ale **szkoda czasu na gadanie** o jakiejś starej pluszowej **maskotce**! Czekam!

wylądować *land*

szkoda czasu na gadanie *a waste of time talking*
maskotka *mascot*

Uwe był na imprezie punktualnie. **Bawił się** świetnie, ale w nocy miał **senne koszmary** o wielkiej różowej panterze...

bawić się *have fun*
senny koszmar *nightmare*

W grudniu Uwe spotkał panterę drugi raz. Siedziała na starym holenderskim rowerze przed **salonem meblowym**, w którym szukał nowego fotela do biurka. Nie był pewny, czy to jest ta sama pantera, więc zapytał właściciela sklepu, skąd ją ma.

salon meblowy *furniture showroom*

– O, to ciekawa historia! – powiedział ten mężczyzna. – W zeszłym miesiącu byłem w górach. Ale nie w Tatrach, tylko w Gorcach – wie pan, gdzie to jest? Mniej więcej między Krakowem a Zakopanem. No i tam, w małej **wsi**, zobaczyłem tę panterę. Stała przy drzwiach **biura rachunkowego**, które właśnie zbankrutowało. Kupiłem tam kilka rzeczy z **wyposażenia** w bardzo dobrej cenie. Panterę dostałem gratis. Teraz ona „pracuje" dla mnie i **reklamuje** mój sklep. Nie jest na sprzedaż!

wieś *village*
biuro rachunkowe *accountant's office*
wyposażenie *furnishings*
reklamować *advertise*

Miesiąc później Uwe wrócił tam, żeby **zwrócić** fotel, ale niestety, sklepu już nie było. ▸

zwrócić *return*

1

Prawda *(P)* czy nieprawda *(N)*? Dlaczego?
True (P) or false (N)? Why?

P	N

1. Uwe był w Niemczech. ✓

2. On był zmęczony i głodny.

3. W centrum miasteczka było dużo ludzi.

4. Dookoła rynku stały kamienice.

5. Restauracja „Pod Psem" była otwarta.

6. Uwe zobaczył pluszową panterę na wystawie sklepu.

7. Do Uwego zadzwoniła jego żona.

8. Uwe pamiętał o imprezie urodzinowej Roberta.

9. Robert nigdy nie słyszał o różowej panterze.

10. Uwe spóźnił się na imprezę.

11. On już nigdy nie zobaczył tej pantery.

2

Gdzie...? Proszę dokończyć zdania zgodnie z tekstem.
Where? Finish the sentences on the basis of the text.

1. Uwe był w delegacji *w Niemczech* .
2. On dużo czasu spędził ....
3. Planował zjeść obiad ....
4. Zaparkował samochód ....
5. Zobaczył panterę po raz pierwszy ....
6. Robert myślał, że Uwe ogląda film ....
7. Impreza urodzinowa Roberta miała być ....
8. Uwe zobaczył panterę po raz drugi ....
9. Pantera siedziała ....

3 **Proszę uzupełnić.**
Fill in the gaps.

Przy *parkingu* (parking) Uwe zobaczył
tablicę z nazwą miasta partnerskiego w Niemczech. Znał je bardzo
dobrze! Centralnym punktem był duży plac. Stał tam pomnik
muzykantów z bajki braci Grimm: na _____ (dół) osioł, na nim pies,
na _____ (pies) kot, na _____ (kot) – na samej _____
(góra) – kogut. Na _____ (plac) można było parkować, ale nad
_____ (pomnik) zawsze latały różne ptaki i... wiadomo. Kto
chce mieć taki brud na _____ (samochód)? Obok _____
(pomnik) stała ławka. Na _____ (ławka) często siedziała starsza pani,
która dawała ptakom chleb. Pod _____ (ławka) spał jej stary pies.
Po drugiej stronie _____ (plac) była najlepsza w _____
(miasto) lodziarnia. Nazywała się „Pod _____ (Pingwin)". Obok
_____ (lodziarnia), ale tylko w _____ (lato), był ogródek:
dookoła _____ _____ (plastikowy pingwin) stały
stoliki i krzesła, zwykle zajęte przez gości hotelu „Pod _____
(Kogut)". Hotel stał przy _____ _____ (główna ulica),
blisko _____ (stacja). Naprzeciwko _____ (hotel),
po drugiej stronie _____ (ulica), była szkoła Uwego. Uwe
pamiętał, że na _____ (lekcja *l.mn.*) geografii siedział za tak
_____ _____ (wysoki kolega), że prawie cały czas oglądał
świat za _____ (okno) zamiast pisać w _____ (zeszyt).
Przed _____ (hotel) często parkowały luksusowe kabriolety,
a mały Uwe marzył, że będzie milionerem. Między _____
(hotel) a _____ (stacja) był mały park, gdzie Uwe spędzał czas po
_____ (szkoła). Na wprost _____ (brama) do _____
(park), za _____ (kiosk) z gazetami, Uwe palił pierwsze papierosy,
a pod _____ (drzewo) koło _____ (ten kiosk)
stał i patrzył w okna dziewczyny. Jak ona miała na imię? Hm...

słowniczek
glossary

polski	English	your notes

rzeczownik *noun*

blok	*block of flats*	....
budownictwo	*type of building*	....
nieruchomość	*real estate, property*	....
parter	*ground floor*	....
piętro	*floor*	....
aneks kuchenny	*kitchen annex*	....
czynsz	*rent*	....
dostęp	*access*	....
kaucja	*deposit*	....
kawalerka	*studio flat*	....
klimatyzacja	*air conditioning*	....
ogłoszenie	*announcement*	....
ogrzewanie	*heating*	....
okolica	*neighbourhood*	....
opłaty	*payments*	....
media	*utilities*	....
prąd	*electricity*	....
remont	*renovation*	....
sąsiad	*neighbour*	....
widok	*view*	....
właściciel	*owner*	....
współlokator	*flatmate*	....
wynajem	*letting, renting*	....

inne *other*

dzielony	*shared*	....
nowoczesny	*modern*	....
osobny	*separate*	....
samodzielny	*independent*	....

CZYTAJ

słoneczny	*sunny*	....
umeblowany	*furnished*	....
wspólny	*common*	....
wyposażony	*equipped*	....
do wynajęcia	*to let, for rent*	....
na sprzedaż	*for sale*	....
miesięcznie	*monthly*	....
od zaraz	*immediately*	....
w pobliżu	*nearby*	....
z góry	*in advance*	....
na górze	*upstairs, at the top*	....
na dole	*downstairs, at the bottom*	....
na środku	*in the centre/middle*	....
w środku	*inside*	....
dookoła	*around*	....
naprzeciwko	*opposite*	....
na wprost	*in front*	....
nad ≠ pod	*over ≠ under*	....
przed ≠ za	*in front of ≠ behind*	....
między	*between*	....

przeprowadzać się	*move (to a new house)*	....
wynajmować	*let, rent*	....

9 Wieża

🎧 09

„POLSKI krok po kroku" 1, lekcja 20

wieża widokowa
viewing tower

grzecznie *politely*

zdążyć *make it in time*

stopień *step*

pokolenie *generation*

Dam radę! *I'll manage!*

złośliwy *nasty*

zniżka *discount*

wahać się *hesitate*

dzwon *bell*

przewodnik *guidebook*

wyraźnie *clearly*

pomylić *mix up*

w dodatku *on top of that*

zmienić *change*

konduktor *conductor*

z kolei *then*

żałować *regret*

warto *be worth*

podróże kształcą *travel broadens the mind*

niesamowicie *amazing (ly)*

– Przepraszam, czy **wieża widokowa** jest jeszcze otwarta? – pyta **grzecznie** Mami.

– Zamykam o 17.00 – odpowiada starszy pan w kasie. Mówi powoli jak do dziecka i cały czas gestykuluje. – Ma pani pół godziny. Nie wiem, czy pani **zdąży**. Schody mają 220 **stopni**, a wasze **pokolenie** to tylko patrzy w telefon i dlatego macie zero kondycji! Ze-ro!

– **Dam radę!** – Mami ignoruje **złośliwy** ton głosu mężczyzny. – Mogę prosić bilet ze **zniżką**? Jeżeli mam tak mało czasu, to chyba może mi pan dać rabat?

Mężczyzna **waha się**, ale sprzedaje jej bilet ulgowy.

– O katedrze, wieży, **dzwonie** i innych zabytkach w Toruniu może pani przeczytać tutaj – kasjer pokazuje Mami mały **przewodnik** dla turystów. – Jest w cenie biletu, ale po chińsku nie ma. Jaką wersją językową pani chce?

– Jeżeli nie ma po j a p o ń s k u – mówi Mami głośno i **wyraźnie**. – To proszę po p o l s k u.

Wchodzi na wieżę tak szybko, jak może. Odpoczywa tylko chwilę na piętrze z dzwonem. Naprawdę nie ma kondycji…

Ale widok z wieży jest spektakularny! Mami cieszy się, że tu przyjechała, mimo że musiała wstać o 5.00 rano, żeby zdążyć na pociąg. Potem jechała InterCity z Krakowa do Warszawy z przesiadką w Warszawie Zachodniej. Cały czas bała się, że **pomyli** perony albo spóźni się i pociąg odjedzie bez niej! **W dodatku** siedziała w wagonie z grupą, która jechała do stolicy na wycieczkę szkolną i było tak głośno, że nie mogła się skoncentrować na czytaniu przewodnika. Chciała **zmienić** wagon, ale **konduktor** powiedział, że musi siedzieć tam, gdzie ma miejscówkę. **Z kolei** w pociągu pospiesznym do Torunia nie działała klimatyzacja w jej przedziale. Koszmar! Więc na dworcu w Toruniu zmęczona Mami trochę **żałowała**, że pojechała na wycieczkę tak daleko, ale teraz widzi, że naprawdę było **warto**. Po pierwsze, **podróże kształcą**, a po drugie: tu jest pięknie!

Dach katedry z góry wygląda **niesamowicie**. Na wschodzie

CZYTAJ

miasta Mami widzi wieże kościołów, ruiny zamku i most **kolejowy** na Wiśle. Pamięta, że rzeka jest granicą dwóch regionów. Jeden nazywa się Pomorze, a drugi... Zapomniała, może będzie w tym przewodniku od kasjera? Na zachodzie **widać Krzywą** Wieżę i Centrum Astronomiczne – **oba** budynki są na szlaku zabytków **gotyku ceglanego**. Z kolei na północy Mami **rozpoznaje** budynek ratusza i charakterystyczną **kopułę** planetarium. Widzi też swój hostel naprzeciwko pomnika Mikołaja Kopernika. Na południu widać mury **miejskie** i bramę, a za bramą – bulwar nad Wisłą. Mami cieszy się, że to tak blisko, bo planowała pójść nad Wisłę na wieczorny spacer. Sprawdza, która godzina i **schodzi** z wieży.

– Ach, mogłabym spędzić tu kilka godzin! – myśli z **żalem**.

Już na dole orientuje się, że nie ma okularów przeciwsłonecznych. Chyba **zostawiła** na górze! Mami **pędem** wraca na wieżę – okulary faktycznie leżą na murze przy oknie. Zabiera okulary, sprawdza godzinę (jest za pięć piąta), jeszcze raz podchodzi do barierki i patrzy na miasto, a potem **biegnie** na dół.

– Dziękuję i do widzenia – mówi Mami do kasjera, który demonstracyjnie szuka kluczy w szufladzie swojego biurka.

– Zdążyła pani w ostatniej chwili, zaraz zamykam – odpowiada **sucho** kasjer.

W katedrze jest fantastyczne **światło**. Mami chce zrobić zdjęcie **witraży**, ale...

– Komórka!!!

Mami **upewnia się**, że kasjer nie widzi jej i znowu biegnie na górę. Na górze chwilę odpoczywa, **zabiera** komórkę i biegnie na dół. Niestety, drzwi na dole są już zamknięte na klucz. Mami **puka** w te drzwi kilka razy, ale bez rezultatu – dzwon **bije** pięć razy, a w kościele zaczyna się **msza**. Organy grają za głośno, żeby ktoś mógł usłyszeć jej pukanie...

– Chciałam spędzić tu więcej czasu i chyba powiedziałam to **w złą godzinę** – myśli Mami. – Będę jak **księżniczka** w wieży, ale mam za krótkie włosy, żeby **uratował** mnie jakiś **książę**! ▸

kolejowy *railway*

widać *can be seen*
krzywy *leaning (tower)*
oba *both*
gotyk ceglany *brick gothic*
rozpoznawać *recognize*
kopuła *dome*
miejski *town (adj.)*
schodzić *go down*
żal *regret*

zostawić *leave*
pędem *at full speed*

biec, biegnąć *run*

sucho *harshly*
światło *light*
witraż *stained glass*
upewniać się *make sure*
zabierać *take*
pukać *knock*
bić *(the bell) toll, beat, ring*
msza *mass*
w złą godzinę *at a bad moment*
księżniczka *princess*
uratować *rescue*
książę *prince*

1

Proszę odpowiedzieć na pytania.
Answer the questions.

1. Gdzie Mami spędza weekend? _W Toruniu._
2. Czy na wieżę widokową można wjechać windą? ....
3. Co kasjer myśli o młodych ludziach? ....
4. Jaki bilet kupuje Mami i dlaczego? ....
5. Co Mami dostaje od kasjera razem z biletem? ....
6. Co ona widzi z wieży? ....
7. Po co Mami wraca na wieżę pierwszy raz? ....
8. Po co Mami wraca na wieżę drugi raz? ....
9. Dlaczego nikt nie słyszy, że Mami puka do drzwi? ....

2

O której godzinie? Proszę dopasować zgodnie z tekstem.
At what time? Match the time (to the sentence) on the basis of the text.

1. 5.00
2. 6.00-8.30
3. 8.30-8.35
4. 8.35-11.30
5. 16.30
6. 16.35
7. 16.55
8. 16.59
9. 17.00
10. 17.00-5.00

a Mami siedzi na wieży i czyta przewodnik o Toruniu.
b Dzwon bije pięć razy i zaczyna się msza w katedrze.
c Kasjer zamyka drzwi na wieżę.
d Mami kupuje bilet na wieżę widokową.
e Mami budzi się i wstaje.
f Mami ma przesiadkę z pociągu z Krakowa na pociąg do Torunia.
g Mami jedzie pociągiem InterCity z Krakowa do Warszawy.
h Mami odpoczywa na piętrze, gdzie wisi dzwon.
i Mami jedzie pociągiem pospiesznym z Warszawy do Torunia.
j Mami wraca na górę po okulary przeciwsłoneczne.

3 *Proszę uzupełnić zdania zgodnie z przykładem.*
Fill in the gaps as in the example.

1. `Toruń` Mami nigdy nie była *w Toruniu*, dlatego pojechała na weekend *do Torunia*.

2. `Warszawa` Grupa szkolna jechała na wycieczkę _____, a Mami _____ Zachodniej miała tylko przesiadkę.

3. `wieża` Wiedziała, że nie może spędzić dużo czasu _____, dlatego wchodziła _____ bardzo szybko.

4. `Wisła` Chciała pójść _____, bo _____ są bulwary spacerowe i piękny widok na toruńskie Stare Miasto.

5. `góra` Mami zorientowała się, że zostawiła okulary _____, więc szybko wróciła _____.

6. `dół` Szybko zeszła _____, ale drzwi _____ były już zamknięte na klucz.

7. `kościół` Ludzie idą _____, bo o 17.00 _____ jest msza.

4 *Proszę uzupełnić.*
Fill in the gaps.

Mami *siedzi* (siedzieć) na _____ (wieża) i już się trochę nudzi. Dobrze, że ma przewodnik. W _____ (przewodnik) czyta o _____ (zabytek *l.mn.*) Torunia. Bardzo podoba jej się Kamienica Pod _____ (Gwiazda). Budynek ma bogatą dekorację z motywami kwiatów i owoców, a na _____ (szczyt) znajduje się złota gwiazda. W _____ (środek) kamienicy można zobaczyć piękne polichromie i schody. Na ostatnim _____ (piętro) widać dalę. Wcześniej był to typowy dom gotycki. Teraz w _____ (kamienica) znajduje się Muzeum Sztuki Dalekiego Wschodu. Mami koniecznie chce zobaczyć wystawę o _____ (sztuka) Orientu.

10 Las

domek letniskowy
summer house
zabrać *take*

Joanna Maj marzyła o weekendzie w górach w **domku letniskowym** swoich rodziców. Mąż i dzieci pojechali nad morze do dziadków, a ona **zabrała** psa i pojechała pociągiem osobowym do Żywca. W Żywcu miała przesiadkę na autobus, który przyjechał spóźniony, ale mniej niż zwykle. W autobusie było mało pasażerów: tylko ona z psem i para emerytów.

– Przepraszam, dlaczego ten pies tak dziwnie wygląda? – zapytała starsza pani.

ciepło *warmly, pleasantly*
rasa *breed*
uważać *take care*
drapać *scratch*

– To buldog francuski. Jest trochę brzydki i gruby, ale bardzo słodki! Ma na imię Lulu – uśmiechnęła się **ciepło** Joanna.

– Znam tę **rasę**. Pytam, dlaczego on ma ubranie?

– Ach, Lulu miał operację kilka dni temu i musi **uważać**, żeby się nie **drapać**.

– To on jest chory? Mój mąż też był w szpitalu i…

Joanna słuchała tylko jednym uchem, bo nie chciała być niegrzeczna. Patrzyła przez okno na las i cieszyła się na weekend na **łonie natury**.

łono natury *in nature's bosom*
wysiadać *get off*
pod górę *uphill*
własnymi rękami
with his own hands
wytyczony *designated*
pieszy szlak *hiking trail, footpath*
malowniczy *picturesque*
w kształcie głowy
in the shape of a head
przypominać sobie
bring to mind

– O, **wysiadam** na tym przystanku – powiedziała, kiedy zobaczyła wieżę starego kościoła. – Do widzenia, dużo zdrowia!

Od przystanku szła **pod górę** może kwadrans i już była w domku. Domek był mały, drewniany i wyglądał trochę jak schronisko górskie w starym stylu. Był tam nawet kominek z cegły, który **własnymi rękami** zbudował ojciec Joanny. Obok domku był **wytyczony pieszy szlak** turystyczny na jakiś szczyt. Joanna nigdy nie pamiętała, jak się nazywa. Wiedziała tylko, że ma 666 m n.p.m.

Otworzyła wszystkie okna, zrobiła herbatę i wyszła na taras. Widok był naprawdę **malowniczy**: góry, jezioro, las i wielka skała **w kształcie głowy** psa.

– Pies! – nagle Joanna **przypomina sobie** o Lulu. Wychodzi

CZYTAJ

z domku i widzi, że brama jest otwarta. Psa nie ma – ani śladu, zniknął jak kamfora.

Joanna zamyka bramę i idzie do lasu, który graniczy z **posesją** rodziców. Ziemia jest mokra, więc trochę żałuje, że nie ma **kaloszy**. Nagle dzwoni telefon.

– Cześć, **kochanie**! – słyszy głos męża. – Dlaczego nie mieszkamy w Gdańsku? Nad morzem jest lepiej niż u nas! A co u ciebie, jesteś **na miejscu**?

– Tak, ale… Lulu… gdzieś… zniknął…

– Halo! A gdzie ty jesteś? Masz chyba słaby zasięg!

– Jestem w le-sie! Szu-kam psa! – **skanduje** Joanna.

– W lesie? Sama? Przecież ty **nie masz za grosz** orientacji w terenie! Musisz **natychmiast** wrócić do domku! Pies zna drogę, na pewno już czeka tam na ciebie.

– Ale… Grzegorz, teraz to ja nie wiem, dokąd iść!

– Spokojnie. Powiedz, co widzisz?

– Drzewa!!!

– No tak. **Wzdłuż** drogi **płynie** rzeka, widzisz ją gdzieś?

– Nie, chyba poszłam bardziej na wschód. Albo na zachód.

– A możesz sprawdzić swoją lokalizację w telefonie?

– Nie mam połączenia z internetem…

– To idź do jakiegoś drzewa. Pamiętam ze szkoły, że tam gdzie na drzewie **rośnie mech**, znajduje się północ.

– A ja muszę iść na południe, tak?

– Eee, nie wiem… **Inaczej**: Joanno, skoncentruj się – zaraz będzie dziewiętnasta, dzwon w kościele bije bardzo głośno. Może go usłyszysz. I pójdziesz w tamtą stronę. Od kościoła do domku jest tylko kilometr i znasz drogę **na pamięć**. Joanno…?

– **Oddzwonię** – mówi Joanna, bo nagle widzi jakiś dom. Przed bramą stoi mężczyzna w zielonym uniformie, a obok niego siedzą dwa identyczne buldogi francuskie. I oba mają ubrania – wcześniej białe, teraz bardzo brudne.

– Pani pies to ten po prawej – mówi **leśniczy**. – Po lewej jest moja **suczka**. Przed chwilą były, hm hm, w innej konfiguracji, więc boję się, że właśnie **zostaliśmy** „dziadkami"… ▸

posesja *plot of land*

kalosze *rubber boots*

kochanie *darling*

na miejscu *there*

skandować *chant*

nie mieć za grosz *not have any at all*

natychmiast *immediately*

wzdłuż *along*

płynąć *flow*

rosnąć *grow*

mech *moss*

inaczej *(do it) differently*

na pamięć *by heart*

oddzwonić *call back*

leśniczy *forester*

suczka *bitch*

zostać *become*

 1

Prawda (P) czy nieprawda (N)? Dlaczego?
True (P) or false (N)? Why?

	P	N

1. Joanna pojechała nad morze, a jej rodzina w góry.   ✓

2. Joanna jechała pociągiem i autobusem.

3. Historia starszej pani była interesująca dla Joanny.

4. Domek znajdował się przy szlaku turystycznym.

5. Z domku na szczyt było 666 metrów.

6. Z tarasu było widać przystanek autobusowy i kościół.

7. Joanna nie miała pojęcia, gdzie jest jej pies.

8. Grzegorz słyszał Joannę przez telefon bardzo dobrze.

9. Joanna spotkała w lesie kobietę z autobusu.

 2

Co pasuje? Proszę podkreślić odpowiedź zgodnie z tekstem.
Underline the correct answer on the basis of the text.

1. Grzegorz jest ojcem | <u>mężem</u> Joanny.
2. Domek letniskowy należy do rodziców | dziadków Joanny.
3. Rodzina Grzegorza mieszka nad jeziorem | morzem.
4. Pani z autobusu opowiada o swoim psie | mężu.
5. Joanna | Lulu nie ma orientacji w terenie.
6. Leśniczy stoi przed bramą domu | kościoła.

3

Co pasuje? Jak myślisz, kiedy przymiotnik jest po rzeczowniku?
Match the halves. When is an adjective placed after the noun?

1. domek   a   francuski
2. pociąg   b   górskie
3. buldog   c   letniskowy
4. szlak   d   osobowy
5. schronisko   e   pieszy

 CZYTAJ

4 ***Proszę uzupełnić zdania zgodnie z przykładem.***
Fill in the gaps as in the example.

1. góry Joanna pojechała *w góry*, bo tylko *w górach* tak dobrze odpoczywa.

2. morze Rodzina męża Joanny mieszka ...., dlatego Karol i Karolina często jeżdżą .... na wakacje.

3. Żywiec Joanna pojechała pociągiem ...., a .... miała przesiadkę na autobus.

4. domek Od przystanku .... było blisko i już po kwadransie była ....

5. las Joanna poszła ...., bo była pewna, że gdzieś .... jest jej pies.

6. drzewo Joanna podeszła .... Mech, który jest ...., pokazuje północ.

7. południe Ona chciała iść .... To logiczny krok, bo góry znajdują się .... Polski.

5 ***Tak czy nie?***
Yes or no?

1. „Słuchać jednym uchem" to znaczy uważnie   *nie*

2. „Na łonie natury" to zwykle daleko od cywilizacji.   ....

3. „Zrobić coś własnymi rękami" może osoba z talentem manualnym.   ....

4. „Ani śladu, zniknął jak kamfora" to znaczy, że jest w lesie.   ....

5. „Nie mamy za grosz orientacji w terenie", kiedy używamy taniej mapy.   ....

6. Jeżeli znamy drogę „na pamięć", to znaczy, że możemy iść bez mapy.   ....

słowniczek
glossary

polski	English	your notes

rzeczownik / *noun*

polski	English	your notes
granica	*border*	....
południe	*south*	....
północ	*north*	....
wschód	*east*	....
zachód	*west*	....
brama	*gate*	....
cegła	*brick*	....
kościół	*church*	....
most	*bridge*	....
mur	*wall*	....
ratusz	*town hall*	....
stolica	*capital city*	....
wieża	*tower*	....
wycieczka	*trip*	....
zabytek	*object of historical importance*	....
jezioro	*lake*	....
las	*forest*	....
morze	*sea*	....
rzeka	*river*	....
wyspa	*island*	....
ziemia	*earth*	....
góry	*mountains*	....
schronisko	*shelter, refuge, hostel*	....
skała	*rock*	....

szczyt	*peak, summit*	....
szlak	*hiking trail*	....
dworzec	*(railway, bus) station*	....
miejscówka	*seat reservation*	....
peron	*platform*	....
pociąg	*train*	....
połączenie	*call*	....
przedział	*compartment*	....
przesiadka	*change (of trains, buses)*	....
wagon	*wagon*	....

inne *other*

n.p.m.	*above sea level*	....
m.in.	*including (among other things)*	....
np.	*for instance (e.g.)*	....
ok.	*about*	....
ulgowy	*reduced-fare*	....
osobowy	*slow/stopping train*	....
pospieszny	*fast train*	....

czasownik *verb*

graniczyć	*to border*	....
odjeżdżać	*depart*	....
spóźniać się	*be late*	....
znajdować się	*be found, be situated*	....

słownik
glossary

A-Ż

polski	English	your notes
akurat	*just*	
Ale leje!	*Oh, it's pouring down!*	
alejka	*path*	
Ależ nie!	*No no!*	
aneks kuchenny	*kitchen annex*	
ani śladu	*no trace*	
awantura	*argument*	
bajka	*fairy-tale*	
banalny	*trivial*	
bawić się	*have fun*	
będzie się działo	*a lot'll be going on*	
bić	*toll, beat, ring (the bell)*	
biec, biegnąć	*run*	
biurko	*desk*	
biuro rachunkowe	*accountant's office*	
biżuteria	*jewellery*	
blady	*pale*	
blok	*block of flats*	
bluzka	*blouse*	
błysk	*sparkle, glint in her eye*	
błyskawica	*lightning*	
błyskawicznie	*instantly*	
Boże Narodzenie	*Christmas*	
brama	*gate*	
brzydko	*ugly*	
budownictwo	*type of building*	
burza	*storm*	
burza włosów	*shock of hair*	
cegła	*brick*	

A
B
C

chce mi się...	I want to/need to...	....
chłodno	cool	....
chmura	cloud	....
chodźmy	let's go	....
choinka	Christmas tree	....
chusteczka	tissue, handkerchief	....
chyba	perhaps, probably	....
cicho	quietly	....
ciekawe	I wonder	....
ciemno	dark	....
ciepło	warmly, pleasantly	....
cieszyć się	enjoy	....
ciśnienie	pressure	....
Co się dzieje?	What's going on?	....
co się stanie	what will happen/does it matter	....
Co za wstyd!	What a disgrace!	....
coraz bardziej	more and more	....
coś na ząb	a bite to eat	....
Coś ty?	Come on!	....
czuć/czuć się	feel	....
Czy ja wiem?	I'm not sure	....
czyli	that is	....
czynsz	rent	....
czytać w myślach	read thoughts	....
dach	roof	....
dać	give	....
Dam radę!	I'll manage!	....
dawać	give	....
delegacja	business trip	....
denerwować się	be upset	....
deszcz	rain	....
deszczowy	rainy	....
dieta	diet	....

D

do wynajęcia	*to let, for rent*	
dodatkowy	*extra*	
dokładnie	*exactly*	
doktorat	*doctorate*	
domek letniskowy	*summer house*	
doniczka	*plant pot*	
dookoła	*around*	
dopiero	*not before*	
dorosły człowiek	*grown man*	
dostawać	*get*	
dostęp	*access*	
dotykać	*touch*	
drapać	*scratch*	
dres	*tracksuit*	
drewniany	*wooden*	
drewno	*wood*	
drogi	*dear*	
drogowskaz	*sign*	
drzewo wiśniowe	*cherry tree*	
dworzec	*(railway, bus) station*	
dywan	*carpet*	
działać	*work*	
dzielony	*shared*	
dziwnie	*strangely*	
dziwny	*strange*	
dzwon	*bell*	
F facet	*guy*	
firanka	*net curtains*	
fotel	*armchair*	
G galeria zdjęć	*picture gallery*	
gips	*plaster*	
globalne ocieplenie	*global warming*	
głos	*voice*	
głowa	*head*	

gotyk ceglany	*brick gothic*	
góry	*mountains*	
grad	*hail*	
granatowy	*dark blue*	
granica	*border*	
graniczyć	*to border*	
grom z jasnego nieba	*a bolt from the blue sky*	
grubo	*fat*	
grzecznie	*politely*	
grzmot	*rumbling*	
gwiazda	*star*	
H **horrendalnie**	*horrendously, terribly*	
I **i już**	*that's all*	
impreza	*party*	
inaczej	*(do it) differently*	
irytować się	*be irritated, annoyed*	
J **jak przez mgłę**	*vaguely*	
jakoś	*anyhow, somehow*	
jasno	*light*	
jasnowidz	*fortune teller*	
jednorodzinny	*detached house*	
jesień	*autumn*	
jezioro	*lake*	
jeżeli	*if*	
K **kalosze**	*rubber boots*	
kamienica	*tenement building*	
kapelusz	*hat*	
kartka	*piece of paper*	
kaucja	*deposit*	
kawalerka	*studio flat*	
klimatyzacja	*air conditioning*	
kochanie	*darling*	
kolejowy	*railway*	

kominek	*fireplace*	....
komoda	*chest of drawers*	....
konduktor	*conductor*	....
kończyć się	*stop, be over*	....
kopuła	*dome*	....
korek	*traffic jam, plug*	....
korytarz	*corridor*	....
kosz	*wastebin*	....
kościół	*church*	....
krzyknąć	*shout*	....
krzywy	*leaning (tower)*	....
książę	*prince*	....
księżniczka	*princess*	....
księżyc	*moon*	....
kształt	*shape*	....
kuchenka	*cooker*	....
kuchnia	*kitchen*	....
kulturalny	*polite, well-mannered*	....
kwiaty	*flowers, pot plants*	....
kwitnąć	*blossom*	....
Ł **lanie wody**	*waffling on*	....
las	*forest*	....
lato	*summer*	....
lepiej	*better*	....
leśniczy	*forester*	....
leżeć	*lie*	....
lęk wysokości	*fear of heights*	....
liść	*leaf*	....
lodówka	*fridge*	....
lustro	*mirror*	....
Ł **ładnie**	*prettily, nicely*	....
ławka	*bench*	....
łazienka	*bathroom*	....
łono natury	*in nature's bosom*	....

łóżko	*bed*	
m.in.	*including (among other things)*	
malowniczy	*picturesque*	
mam nadzieję	*I hope*	
marnować	*be wasting*	
marudny	*grumpy*	
marzyć	*dream*	
maskotka	*mascot*	
mądry	*clever*	
meble	*furniture*	
mech	*moss*	
media	*utilities*	
mgła	*fog*	
miasteczko	*small town*	
mieć zamiar	*be going to, intend to*	
miejscówka	*seat reservation*	
miejski	*town (adj.)*	
miesiąc	*month*	
miesięcznie	*monthly*	
między	*between*	
miło	*nice, nicely*	
mimo że	*even though*	
miska	*bowl*	
mniej znaczy więcej	*less means more*	
moim zdaniem	*in my opinion*	
mokro	*wet*	
morze	*sea*	
most	*bridge*	
mroźnic/mroźno	*frosty*	
mróz	*frost*	
msza	*mass*	
mur	*wall*	
n.p.m.	*above sea level*	

M

N

na	*on*	....
na dole	*downstairs, at the bottom*	....
na górze	*upstairs, at the top*	....
na miejscu	*there*	....
na pamięć	*by heart*	....
na razie	*for now*	....
na sprzedaż	*for sale*	....
na środku	*in the centre/middle*	....
na własny koszt	*at your own expense*	....
na wprost	*in front*	....
na wsi	*in the countryside*	....
na zewnątrz	*outside*	....
nad ≠ pod	*over ≠ under*	....
nadzieja	*hope*	....
nagle	*suddenly*	....
największy	*the biggest*	....
nalać	*pour*	....
naprzeciwko	*opposite*	....
narysować	*draw*	....
narzekać	*complain*	....
natychmiast	*immediately*	....
nawet	*even*	....
nie wolno palić	*smoking is not allowed*	....
niebo	*sky*	....
nieczynny	*not working*	....
niepokój	*anxiety*	....
nieruchomość	*real estate, property*	....
niesamowicie	*amazing(ly)*	....
niesprawiedliwe	*not fair*	....
nieznajomy	*unknown person*	....
nowoczesny	*modern*	....
np.	*for instance (e.g.)*	....
nuta	*musical note*	....

o	*about*	
O co ci chodzi!	*What are you on about?*	
oba	*both*	
obcy	*unknown*	
obraz	*picture*	
obrona	*(thesis) defence*	
oburzony	*outraged*	
obwarzanek	*traditional ring-shaped bread*	
od razu	*immediately*	
od słowa do słowa	*one topic led to another*	
od zaraz	*immediately*	
odbierać	*answer (the phone)*	
odbywać się	*be held*	
oddzwonić	*call back*	
odebrać	*answer (the phone)*	
odjeżdżać	*depart*	
odświeżyć	*freshen*	
odzyskać mowę	*find one's voice*	
ogłoszenie	*announcement*	
ogólny	*general*	
ogrzewanie	*heating*	
ok.	*about*	
okazać się	*turn out*	
oko/oczy	*eye/eyes*	
okolica	*neighbourhood*	
okrągły	*round*	
okulary przeciwsłoneczne	*sunglasses*	
opalać się	*sunbathe*	
opłaty	*payments*	
orientować się	*realize*	
osobny	*separate*	
osobowy	*slow/stopping train*	

ostro	*sharply*	
otyły	*obese, overweight*	
paczka	*packet*	
padać	*rain*	
pakować	*pack*	
palec	*finger*	
państwo	*owners*	
parasol	*umbrella*	
parter	*ground floor*	
pasować	*suit*	
patrzeć	*look*	
pech	*bad luck*	
pełen	*full of*	
peron	*platform*	
pewny siebie	*self-confident*	
pędem	*at full speed*	
pieszy szlak	*hiking trail, footpath*	
pięknie	*beautifully*	
piętro	*floor*	
piorun	*thunder*	
piwnica	*basement*	
plaża	*beach*	
plotkować	*gossip*	
pluszowy	*plush*	
płynąć	*flow*	
płyta	*record*	
po	*after, around, for*	
po co	*what for*	
po podwórku	*around the courtyard*	
pobiec	*run*	
pochmurno	*cloudy*	
pociąg	*train*	
początkujący	*beginner*	
pod górę	*uphill*	

P

pod	*under, outside*	....
podawać drinki	*serve drinks*	....
podejść	*go up to*	....
podekscytowany	*excited*	....
podkoszulek	*T-shirt*	....
podłoga	*floor*	....
podobać się	*be to sb's liking, appeal to sb*	....
podróże kształcą	*travel broadens the mind*	....
podróżować po świecie	*travel around the world*	....
podskakiwać	*jump*	....
poduszka	*pillow*	....
pogoda	*weather*	....
pojutrze	*the day after tomorrow*	....
pokazywać	*show*	....
pokiwać głową	*nod one's head*	....
pokłócić się	*have an argument*	....
pokolenie	*generation*	....
połączenie	*call (n.)*	....
południe	*south*	....
pomylić	*mix up*	....
pomysł	*idea*	....
poniżej	*below*	....
ponury	*gloomy*	....
Popatrz!	*Look!*	....
pora	*time, season*	....
pora roku	*season/time of the year*	....
posesja	*plot of land*	....
pospieszny	*fast train*	....
postanowić	*decide*	....
potrawa	*dish*	....
potwierdzać	*confirm*	....

powoli	*slowly*	....
powyżej	*above*	....
powyżej uszu	*have had it up to here*	....
poza tym	*besides*	....
pozdrowienia	*say hello*	....
poznawać	*get to know*	....
pożyczyć	*borrow*	....
półka	*shelf*	....
północ	*north*	....
praktyki	*internship*	....
pralka	*washing machine*	....
prąd	*electricity*	....
prezent	*present, gift*	....
prognoza	*forecast*	....
proponować	*suggest*	....
prosić o	*ask for*	....
prosto	*straight*	....
prysznic	*shower*	....
przechodzień	*passer-by*	....
przecież	*after all*	....
przeciwdeszczowy	*rainproof*	....
przed	*in front of*	....
przedpokój	*hall*	....
przedział	*compartment*	....
przeprowadzać się	*move (to a new house)*	....
przerywać	*interrupt*	....
przesiadka	*change (of trains, buses)*	....
przestraszony	*frightened*	....
przewodnik	*guidebook guide-book*	....
przy	*by*	....
przy okazji	*taking the opportunity*	....
przy sobie	*with me*	....
przypominać sobie	*bring to mind*	....

przyszłość	*future*	....
przyszły	*future, next (to be)*	....
przytulny	*cosy*	....
pukać	*knock*	....
R **racja**	*be right*	....
radiesteta	*water diviner*	....
radość	*joy*	....
rasa	*breed*	....
ratusz	*town hall*	....
regał	*bookcase, shelving*	....
reklama	*advert*	....
reklamować	*advertise*	....
rekompensata	*compensation*	....
remont	*renovation*	....
rezygnacja	*resignation*	....
robić wrażenie	*make an impression*	....
rocznica ślubu	*wedding anniversary*	....
rok przerwy	*gap year*	....
rosnąć	*go up/increase, grow*	....
rozglądać się	*look around*	....
rozpłakać się	*burst into tears*	....
rozpoznawać	*recognize*	....
róg	*corner*	....
rysować	*draw*	....
rzeka	*river*	....
rzeźba	*sculpture*	....
S **salon meblowy**	*furniture showroom*	....
salon	*living room*	....
sam	*alone*	....
samodzielny	*independent*	....
sąsiad	*neighbour*	....
schody	*stairs*	....
schodzić	*go down*	....
schronisko	*shelter, refuge, hostel*	....

senny koszmar	*nightmare*	....
serce	*heart*	....
Siedź!	*Stay sitting!*	....
siwy	*gray*	....
skakać	*jump*	....
skała	*rock*	....
skandować	*chant*	....
sklep instalacyjny	*hardware shop*	....
skłamać	*lie*	....
skóra	*skin*	....
skrzypce	*violin*	....
słabo	*(it makes sb) sick*	....
słodko	*sweetly*	....
słonecznie	*sunny*	....
słoneczny	*sunny*	....
słońce	*sun*	....
słownik	*dictionary*	....
smok	*dragon*	....
sofa	*sofa*	....
spiżarnia	*pantry*	....
spodnie	*trousers*	....
spokojnie	*calmly*	....
spóźniać się	*be late*	....
sprawa	*matter*	....
sprawdzić	*check*	....
sprzedawca	*salesman, shop assistant*	....
sprzęt	*furnishings*	....
stać	*stand*	....
stać w korku	*be stuck in a traffic jam*	....
stawać	*stop*	....
stolica	*capital city*	....
stolik	*little table*	....
stopień	*step, degree*	....

strasznie	*awfully, terribly*	....
strych	*loft, attic*	....
sucho	*dry, harshly*	....
suczka	*bitch*	....
sufit	*ceiling*	....
sweter	*sweater*	....
sypialnia	*bedroom*	....
szafa	*wardrobe*	....
szafka	*cabinet, cupboard*	....
szata	*robe*	....
szczęście	*luck*	....
szczyt	*peak, summit*	....
szlak	*hiking trail*	....
szuflada	*drawer*	....
Ś **ściana**	*wall*	....
ślisko	*slippery*	....
śmiać się	*laugh*	....
śmieci	*rubbish*	....
śnieg	*snow*	....
świat	*world*	....
światło	*light*	....
światowa klasa	*world-class*	....
świeca	*candle*	....
świecić	*shine*	....
świetnie	*great, brilliantly*	....
święta	*holidays*	....
świętować	*celebrate*	....
T **tajemniczy**	*mysterious*	....
tak	*like this*	....
taki	*such a, like that*	....
teren	*premises*	....
termin	*date, due date*	....
tęcza	*rainbow*	....
tłum	*crowd*	....

trans	*trance*	....
trawnik	*lawn*	....
trzeba	*it needs (to be done)*	....
tyle	*so much, that much*	....
<u>U</u> **ubikacja**	*toilet*	....
ubranie	*clothing*	....
ubrany w	*wearing*	....
ucho/uszy	*ear/ears*	....
uciec	*escape (v.)*	....
uczucie	*feeling, affection*	....
ulewa	*downpour*	....
ulgowy	*reduced-fare*	....
umeblowany	*furnished*	....
umówić się	*come to an agreement*	....
umywalka	*wash basin*	....
upał	*heat*	....
upewniać się	*make sure*	....
uratować	*rescue*	....
urodziny	*birthday*	....
uśmiech	*smile*	....
uśmiechać się	*smile*	....
uważać	*take care*	....
użyć	*use*	....
używany	*used, second-hand*	....
<u>W</u> **w**	*in*	....
w ciąży	*pregnant*	....
w dodatku	*on top of that*	....
w końcu	*finally, at last*	....
w kształcie głowy	*in the shape of a head*	....
w pobliżu	*nearby*	....
w proszku	*instant, powdered*	....
w środku	*inside*	....
w złą godzinę	*at a bad moment*	....
wagon	*wagon*	....

wahać się	*hesitate*	....
walentynki	*Valentine's Day*	....
wanna	*bath*	....
warsztaty	*workshops*	....
warto	*be worth*	....
wdzięczny	*grateful*	....
we troje	*all three together*	....
wejść	*go in*	....
westchnąć	*sigh*	....
wiać	*blow*	....
wiatr	*wind*	....
widać	*can be seen*	....
widok	*view*	....
Wielkanoc	*Easter*	....
wielki	*large*	....
wieszak	*clothes rack*	....
wieś	*village*	....
wieża	*tower*	....
wieża widokowa	*viewing tower*	....
wina	*fault*	....
winda	*lift*	....
winnica	*vineyard*	....
wiosna	*spring*	....
wisieć	*hang*	....
witraż	*stained glass*	....
wkładać	*put into*	....
własnymi rękami	*with his own hands*	....
właściciel	*owner*	....
właśnie	*just*	....
włosy	*hair*	....
wnuk	*grandson*	....
woleć	*prefer*	....
wołać	*shout*	....
wózek	*wheelchair*	....

wrzucić	*throw into*	
wschód	*east*	
wspólny	*common*	
współlokator	*flatmate*	
wszędzie	*everywhere*	
wszystko jedno	*it doesn't matter, all the same*	
wściekły	*furious*	
wtedy	*then*	
wybierać	*choose*	
wyciągać	*take out*	
wycieczka	*trip*	
wydaje mi się	*it seems to me*	
wyglądać	*look*	
wyjaśnić	*explain*	
wyjątkowy	*sth special*	
wylądować	*land*	
wyłączony	*turned off*	
wyłączyć	*turn off*	
wynajem	*letting, renting*	
wynajmować	*let, rent*	
wypadek	*accident*	
wyposażenie	*furnishings*	
wyposażony	*equipped*	
wyprzedaż	*sale*	
wyraźnie	*clearly*	
wyrzucić	*throw out*	
wysiadać	*get off*	
wyspa	*island*	
wystawa	*window display*	
wytyczony	*designated*	
wzdłuż	*along*	
wzdychać	*sigh*	
wziąć	*take*	

Z

z góry	*in advance*	....
z kolei	*then*	....
z powodu	*because of, due to*	....
z widzenia	*by sight*	....
za	*behind*	....
zabawa	*fun*	....
zabawka	*toy*	....
zabierać	*take*	....
zabrać	*take, take away*	....
zabytek	*object of historical importance*	....
zachmurzenie	*cloud cover*	....
zachód	*west*	....
zacząć	*begin*	....
zaczynać (się)	*start, begin*	....
zakochany	*in love*	....
zamiast	*instead of*	....
zaniepokojony	*anxious*	....
zapałki	*matches*	....
zapas	*reserve supply*	....
zapomnieć	*forget*	....
zapraszać	*invite*	....
zaproszenie	*invitation*	....
zaraz	*in a moment*	....
zasięg	*mobile signal*	....
zaskoczony	*surprised*	....
zasłona	*curtain*	....
zdążyć	*make it in time*	....
zdziwić się	*be surprised*	....
zdziwiony	*surprised*	....
zeszły	*last*	....
zgadzać się	*agree*	....
ziemia	*earth*	....
zima	*winter*	....

zjechać	*go down*	....
zlew	*sink*	....
złapać	*catch*	....
złośliwy	*nasty*	....
zmęczony	*tired*	....
zmiana	*change*	....
zmieniać (się)	*change*	....
zmywarka	*dishwasher*	....
znać się	*know about*	....
znajdować się	*be found, be situated*	....
znaleźć	*find*	....
znikać	*disappear*	....
zniknąć jak kamfora	*disappear into thin air*	....
zniżka	*discount*	....
znowu	*again*	....
Zobacz!	*Look!*	....
zostać	*become*	....
zostawić	*leave*	....
zresztą nieważne	*anyway never mind*	....
zwiedzanie	*visiting*	....
zwrócić	*return*	....
żaden	*not any*	....
żal	*regret*	....
żałować	*regret*	....
żyć	*live*	....

Ż

CZYTAJ
krok po kroku

klucz odpowiedzi
answer key

1

1. 1. na przystanku; 2. na autobus; 3. szary; 4. nie lubi; 5. nie boi się; 6. tęczę; 7. dzwoni; 8. mniej więcej; 9. dziecko; 10. skończyła
2. 1. będziemy; 2. będę; 3. będzie; 4. będzie; 5. będziesz; 6. będziecie; 7. będą; 8. będzie
3. 1e; 2a; 3d; 4b; 5c
4. 1b; 2f; 3g; 4e; 5i; 6h; 7d; 8a; 9c; 10j
5. 1. duży; 2. nerwowo; 3. przyszłości; 4. ciemno-niebieski; 5. bardzo gorąco; 6. nic wielkiego; 7. słabo; 8. znana i popularna

2

1. 1. czarodziej Merlin; 2. z mlekiem; 3. czarny kot; 4. przyszłość; 5. sto; 6. w szkole; 7. 6
2. 1. padało; 2. żyła; 3. kosztowała; 4. robiła; 5. koncentrował; 6. chodziła; 7. świętowali; 8. dostawały
3. 1. mógł; 2. musiała; 3. mogła; 4. chcieli; 5. musiała; 6. chciały; 7. mogli
4. 1d; 2a; 3f; 4b; 5c; 6e
5. 1. będzie dużo...; 2. zaczyna się astronomiczne...; 3. zaczynają się kursy; 4. kończą się...; 5. dzieci zaczynają...; 6. zaczyna się rok...

3

1. 1. Nie, autobusem.; 2. W walentynki, w klubie „Tango".; 3. Narcyz, bo on jest egocentrykiem.; 4. Nie, nie słyszała.; 5. Płyta CD, butelka dobrego wina, zwiedzanie winnicy, mały robot na baterie słoneczne, lot balonem nad Zakopanem.; 6. Angelę irytuje, że autobus stoi w korku, a klimatyzacja nie działa; 7. Jakaś obca dziewczyna.
2. 1. Lepiej jeździć...; 2. Lepiej mówić...; 3. Lepiej rysuję...; 4. Lepiej nie plotkować...; 5. Lepiej nie krytykować...; 6. Lepiej zwiedzać...; 7. Lepiej taksówką.
3. Drogie; Was; sobotę; spotykamy; pogoda; padać; kwiatów; lepiej; mi
4. 1c; 2a; 3d; 4b

5. 1. ją; 2. mnie; 3. was; 4. ci; 5. mu; 6. niej; 7. je; 8. ich

4

1. 1. na balkonie; 2. z alkoholem; 3. pod kościołem; 4. sławnym; 5. jest zmęczony; 6. zdenerwowana; 7. na rynku; 8. instrument; 9. dziewczynę; 10. wstyd
2. 1. go; 2. nich; 3. niej; 4. nich; 5. nim; 6. niej
3. 1. nim; 2. ciebie; 3. nas; 4. mnie; 5. nimi; 6. niej; 7. tobie
4. 1. Kocham *cię...*; 2. Dziękuję *ci...*; 3. Przepraszam *cię...*; 4. To „Z *tobą...*; 5. Zapraszam *cię...*; 6. Jak mogę *ci...*; 7. Proszę *cię...*; 8. Czekam na *ciebie...*; 9. Myślę o *tobie...*
5. 1. nich; 2. jej; 3. ich; 4. go; 5. im; 6. niej; 7. ją; 8. mu; 9. ją

5

1. 1. Nie, w domu.; 2. O morderstwie w teatrze.; 3. Babcia Zofia.; 4. W szpitalu, bo miał wypadek.; 5. Palić.; 6. W Sopocie.; 7. Wszędzie: w kuchni, sypialni, łazience, salonie, przedpokoju, na balkonie.; 8. Nie, wygląda świetnie.; 9. Angela z Figaro.
2. 1. podwórko; 2. prysznic; 3. pralka; 4. winda; 5. świat; 6. dywan
3. 1c; 2e; 3a; 4b, 5d
4. 1. kuchni; 2. szpitalu; 3. toalecie; 4. Sopocie; 5. sypialni; 6. łazience
5. komisariacie, uniwersytecie; pracy, policji; ulubionym detektywie, oryginale; zimie, nartach, snowboardzie; Tatrach, plaży, Polsce; polityce, religii, pieniądzach; gitarze, flecie, skrzypcach; portalu randkowym
6. 1. instant; 2. bardzo zdenerwowany; 3. wyczuwać intuicyjnie; 4. coś małego do jedzenia; 5. było, a teraz nie ma ani śladu

6

1. 1. P; 2. P; 3. P; 4. N; 5. N; 6. P; 7. P; 8. N; 9. N
2. 1e, hotelu; 2d, jesiennym parku; 3b, naszej

planecie; 4a, mieście, wsi; 5h, podróżach, świecie; 6c, dobrym uniwersytecie; 7f, codziennym życiu; 8g, czystej kartce

3. Tatrach; górach; Mazurach; kempingu; Warszawie; praktykach; dużej korporacji; Barcelonie, zabytkach; przewodnikach; wycieczce; stolicy

4. 1. listopadzie; 2. październiku; 3. marcu; 4. styczniu; 5. lutym; 6. wrześniu; 7. czerwcu, grudniu; 8. kwietniu; 9. lipcu; 10. sierpniu

5. 1. tak; 2. nie; 3. tak; 4. nie

7

1. 1. jasne i ciche; 2. właściciela kamienicy; 3. wody; 4. wanny; 5. sklepu instalacyjnego; 6. domu jednorodzinnym; 7. samodzielne; 8. drogim hotelu; 9. starym

2. 1d; 2c; 3h, 4j; 5e, 6i; 7a; 8g; 9b; 10f

3. *odpowiedzi przykładowe:* W domu jednorodzinnym za ścianą mieszkali studenci, robili imprezy i było głośno.; W hotelu pokój był na ostatnim piętrze, a winda i klimatyzacja nie działały dobrze, cena była za wysoka.

4. *odpowiedzi przykładowe:* 1. Czy ogłoszenie jest jeszcze aktualne?; 2. Czy to mieszkanie jest duże?; 3. Ile ma metrów?/Jak duże jest to mieszkanie?; 4. Na którym piętrze jest to mieszkanie?; 5. Czy jest garaż?; 6. Jakie jest ogrzewanie?; 7. Czy to jest nowe budownictwo?; 8. Jakie są opłaty?; 9. Od kiedy mieszkanie będzie wolne?

5. 1. =; 2. =; 3. ≠; 4. =; 5. =; 6. ≠

8

1. 1. P; 2. P; 3. N; 4. P; 5. N; 6. P; 7. N; 8. N; 9. N; 10. N; 11. N

2. 1. w Niemczech; 2. w samochodzie; 3. w małym mieście; 4. przed komisariatem; 5. na wystawie w sklepie; 6. w pracy; 7. w klubie; 8. przed salonem meblowym; 9. na starym holenderskim rowerze

3. parkingu; dole; psie; kocie; górze; placu; pomnikiem; samochodzie; pomnika; ławce; ławką; placu; mieście; Pingwinem; lodziarni; lecie; plastikowego pingwina; Kogutem; głównej ulicy; stacji; hotelu; ulicy; lekcjach; wysokim kolegą; oknem; zeszycie; hotelem; hotelem; stacją; szkole; bramy, parku; kioskiem, drzewem, tego kiosku

9

1. *odpowiedzi przykładowe:* 1. W Toruniu.; 2. Nie.; 3. On myśli, że tylko patrzą w telefon i dlatego nie mają kondycji.; 4. Ulgowy, bo ona chce rabat, ponieważ ma mało czasu na zwiedzanie wieży.; 5. Mały przewodnik.; 6. Dach katedry, wieże kościołów, ruiny zamku, most kolejowy, Wisłę, Krzywą Wieżę, Centrum Astronomiczne, ratusz, planetarium, swój hostel, pomnik Kopernika, mury miejskie, bramę, bulwary nad Wisłą.; 7. Po okulary przeciwsłoneczne.; 8. Po komórkę.; 9. Ponieważ w kościele grają organy.

2. 1e; 2g; 3f; 4i; 5d; 6h; 7j; 8c; 9b; 10a

3. 1. w Toruniu, do Torunia; 2. do Warszawy, w Warszawie; 3. na wieży, na wieżę; 4. nad Wisłę, nad Wisłą; 5. na górze, na górę; 6. na dół, na dole; 7. do kościoła, w kościele

4. siedzi; wieży; przewodniku; zabytkach; Gwiazdą; szczycie; środku; piętrze; kamienicy; sztuce

10

1. 1. N; 2. P; 3. N; 4. P; 5. N; 6. N; 7. P; 8. N; 9. N

2. 1. mężem; 2. rodziców; 3. morzem; 4. mężu; 5. Joanna; 6. domu

3. 1c; 2d; 3a; 4e; 5b

4. 1. w góry, w górach; 2. nad morzem, nad morze; 3. do Żywca, w Żywcu; 4. do domku, w domku; 5. do lasu, w lesie; 6. do drzewa, na drzewie; 7. na południe, na południu

5. 1. nie; 2. tak; 3. tak; 4. nie; 5. nie; 6. tak

„CZYTAJ krok po kroku" 4
Wydanie pierwsze. Kraków 2021

Autor: **Anna Stelmach**
Redaktor merytoryczny serii: **Iwona Stempek**
Redaktor wydawniczy: **Tomasz Stempek**

Tłumaczenie: **Dorota Dziewońska/Alingua**

Wydawca: **polish-courses.com, ul. Dietla 103,
31-031 Kraków, tel. +48 12 429 40 51,
faks +48 12 422 57 76, e-polish.eu, info@e-polish.eu**

Opracowanie graficzne i skład: **Joanna Czyż**
Rysunki: **Małgorzata Mianowska**
Nagrania: **Marcin Ochel** | Czyta: **Michał Chołka**
Fot. A.Stelmach: **Pracownia Fotograficzna Micuda**

Druk: **Beltrani**/drukarniabeltrani.pl

ISBN: 978-83-958524-3-5

↑ Państwo Maj goszczą u siebie przyjeżdżających na kursy polskiego studentów. Są ciekawi świata i otwarci na nowe kontakty. Chcą też, aby ich dzieci dorastały w atmosferze tolerancji i szacunku dla innych kultur. Żałują, że tak rzadko odwiedzają bliskich – ich rodzina jest rozsypana po całej Polsce.

The Maj family are hosting students coming for Polish courses. They are curious about the world and open to new contacts. They also want their children to grow up in an atmosphere of tolerance and respect for other cultures. Their distant family being scattered throughout Poland, they wish they could visit their loved ones more often.

↓ Życie rodziny Nowaków koncentruje się wokół seniorów. Babcia Zofia od zawsze rządzi mężem i trzema synami. A może tylko tak myśli? Dziadek Felicjan ma świetną receptę na to, jak żyć 100 lat. Nowakowie mają artystyczne aspiracje, nawet ich kot ma imię z opery Mozarta.

The life of the Nowak family revolves around the grandparents. Grandmother Zofia has always been 'in charge of' her husband and three sons. Or maybe she only thinks so? Grandfather Felicjan has a great recipe for how to live a hundred years. The Nowak family have artistic aspirations, even their cat's name is a tribute to a Mozart's opera.